LES 200 MEILLEURES RECETTES DE PÂTES

LES 200 MEILLEURES
RECETTES DE
PÂTES

Traduction de
CHRISTINE CHAREYRE

Sélection
Champagne
inc.

Edition originale 1996 au Royaume-Uni par Lorenz Books
sous le titre *Best-ever Pasta*

© 1996, Anness Publishing Limited
© 1998, Manise, une marque des Editions Minerva (Genève, Suisse) pour la version française

ISBN : 2-84198-083-9
Dépôt légal : avril 1998

Imprimé à Singapour

Traduit de l'anglais par Christine Chareyre

Editrice : Joanna Lorenz
Editrice conseil : Linda Fraser
Rédactrice culinaire : Rosemary Wilkinson
Secrétariat de rédaction : Val Barrett
Graphisme : Bill Mason
Recettes : Catherine Atkinson, Carla Capalbo, Maxine Clark, Roz Denny,
Christine France, Sarah Gates, Shirley Gill, Norma MacMillan, Sue Maggs, Elizabeth Martin,
Annie Nichols, Jenny Stacy, Liz Trigg, Laura Washburn, Steven Wheeler
Photographies: Karl Adamson, Edward Allwright, David Armstrong, Steve Baxter,
Jo Brewer, James Duncan, Michelle Garrett, Amanda Heywood,
Patrick McLeavey, Michael Michaels
Stylistes : Madeleine Brehaut, Jo Brewer, Carla Capalbo, Michelle Garrett,
Hilary Guy, Amanda Heywood,Patrick McLeavey, Blake Minton,
Kirsty Rawlings, Elizabeth Wolf-Cohen
Préparation des plats photographiés : Wendy Lee, Lucy McElvie,
Jane Stevenson, Elizabeth Wolf-Cohen
Illustratice : Anna Koska

Afin que cet ouvrage puisse être utilisé au Canada,
nous avons conservé les mesures anglo-saxonnes.

Distribué par
Sélection Champagne Inc.
Montréal, Québec
(514) 595-3279

Sommaire

Introduction 6

Matériel 12

Soupes aux pâtes 20

Pâtes au poisson
et aux coquillages 36

Repas minute 72

Salades et entrées 108

Plats gourmands 130

Recettes rapides et faciles 166

Dîners sans prétention 202

Festival de sauces 238

Index 254

Introduction

Apparues en Asie et en Amérique du Sud, les pâtes ont traversé le monde, figurant désormais parmi les principales denrées de base occidentales. Chinois et Japonais les consomment depuis des millénaires, sous des formes variées. Si leur origine se perd dans la nuit des temps, on sait que les habitants de la Sicile, « grenier à grain » de Rome, en fabriquaient à l'époque de l'Empire romain.

∾

La grande faveur dont jouissent les pâtes tient au fait qu'elles peuvent s'accommoder de mille manières et qu'elles offrent une valeur nutritionnelle élevée, pour un prix modique. Complétées de quelques ingrédients toujours dans le placard de la cuisine, elles peuvent composer un repas royal ! Accompagnées de sauces à base de viande, elles constituent des plats très nourrissants. La plupart des variétés commercialisées, fabriquées avec de la semoule de blé et de l'eau, ont une teneur en protéines et en hydrates de carbone supérieure à celle des pommes de terre. Ainsi servies avec des sauces contenant des légumes, du fromage ou de la viande, elles fournissent un excellent apport nutritionnel. Elles représentent en outre une source d'énergie appréciable, meilleure que le sucre, car elles libèrent l'énergie plus lentement et plus longtemps, et redonnent un coup de fouet en cas de fatigue ou de faim. Les pâtes ne font grossir que si l'on en mange trop et avec trop de sauce ! Les Italiens se nourrissent principalement des pâtes proprement dites, la sauce n'ayant pour but que d'en relever la saveur.

∾

Avec un peu de temps et de patience, les pâtes sont très faciles à confectionner soi-même. Un peu de pratique suffit à donner des résultats tout à fait gratifiants et, comme dans le cas de la fabrication du pain, une fois qu'on maîtrise la technique, on est capable de produire l'une des denrées de base essentielles à la vie.

∾

Les recettes rassemblées dans cet ouvrage sont généralement prévues pour quatre personnes, mais elles peuvent être adaptées en fonction du nombre de convives. Elles sont regroupées dans différents chapitres, classés par thèmes – soupes, poissons et coquillages, salades et entrées, sauces – ou offrant des suggestions de menus selon les occasions – repas minute, plats gourmands, recettes rapides et faciles, dîners sans prétention.

Variétés de pâtes

Lorsque vous achetez des pâtes sèches, choisissez des marques connues. Parmi les variétés « fraîches » vendues sous vide dans les supermarchés, préférez celles qui sont farcies ; les nouilles ou pâtes plates et longues sont meilleures sous forme sèche. Les pâtes fabriquées par les traiteurs italiens sont générale-ment excellentes. Quant à celles que vous confectionnerez vous-même, elles vous garantissent la qualité des ingrédients utilisés ainsi que le résultat.

Vous découvrirez dans cet ouvrage qu'il existe une variété infinie de sauces et de formes de pâtes. Il vous suffira d'accorder les unes avec les autres en fonction de vos goûts, en respectant toutefois certains principes de base : les spaghettis fins se marient plutôt avec les sauces à base de fruits de mer et les plus épais avec les sauces crémeuses (comme les Spaghettis alla carbonara) ; les pâtes épaisses et creuses, tels les rigatoni ou les penne, avec des sauces rustiques qui se glissent à l'intérieur.

vermicelle

macaronis

macaronis
à cuisson rapide

tagliatelles fraîches à
l'encre de seiche

tagliatelles à la tomate,
aux épinards et nature

orzo ou puntalette

petite pâtes à potage

caramellone frais

raviolis frais

cappelletti frais

paglia e fieno frais
(tagliarini « paille et foin »)

tortellinis frais

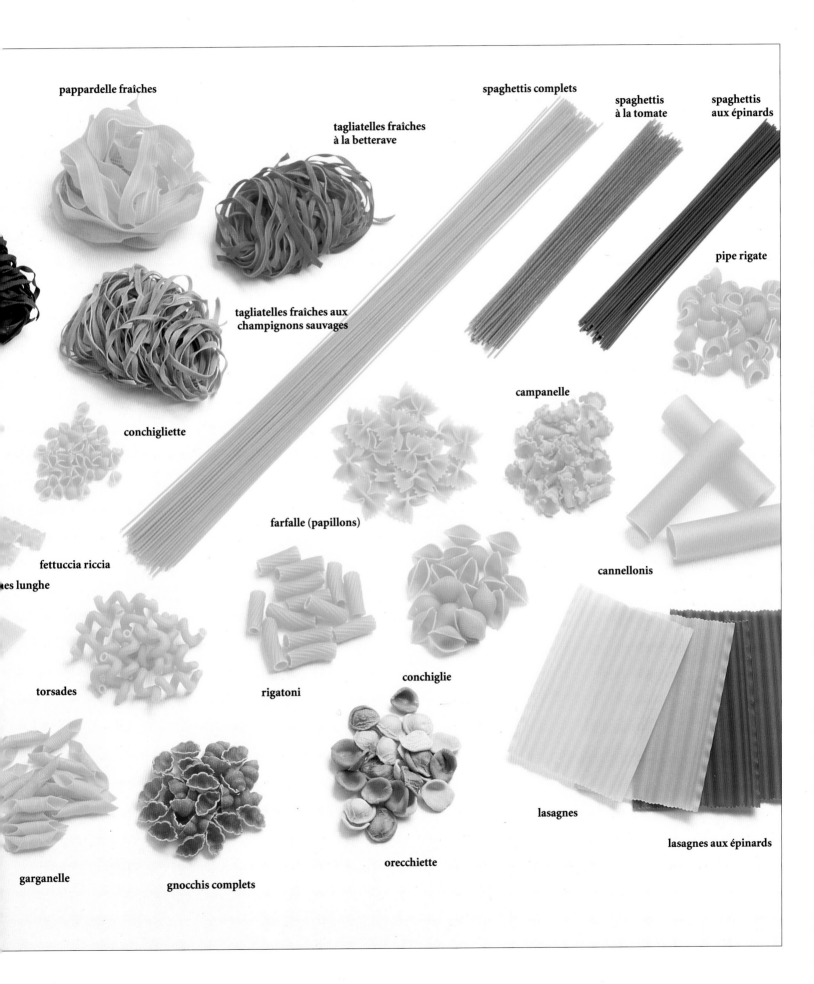

pappardelle fraîches

tagliatelles fraîches
à la betterave

tagliatelles fraîches aux
champignons sauvages

spaghettis complets

spaghettis
à la tomate

spaghettis
aux épinards

pipe rigate

conchigliette

campanelle

farfalle (papillons)

cannellonis

fettuccia riccia

es lunghe

torsades

rigatoni

conchiglie

lasagnes

lasagnes aux épinards

garganelle

gnocchis complets

orecchiette

Sauces et condiments

Le commerce offre un large choix de sauces et condiments que vous pouvez ajouter à vos préparations pour les enrichir ou en relever la saveur. Certains peuvent également être incorporés à la pâte, pour fabriquer par exemple des pâtes à la tomate, aux champignons ou au pesto.

Anchois salés Les anchois conservés dans le sel doivent être rincés et débarrassés de l'arête principale avant usage. Ils sont meilleurs que les filets d'anchois à l'huile, en conserve. Employés avec modération, ils rehaussent sauces et soupes de leur goût de poisson.

Câpres Ces petits boutons de fleurs verts, conservés dans le vinaigre ou le sel, compensent les sauces riches de leur saveur piquante et se marient parfaitement avec les tomates et de nombreux fromages.

Sauce carbonara Celle fabriquée par vos soins selon la recette de ce livre sera certainement meilleure, mais la sauce carbonara achetée dans le commerce peut dépanner en cas de repas improvisé ; il suffit d'y ajouter des lardons ou des champignons frais que vous aurez fait revenir à la poêle.

Ail, haché Évite de peler l'ail et de le hacher en morceaux. Permet de gagner du temps.

Beurre de champignons En vente dans les épiceries italiennes. Ajoutez-en une bonne cuillerée dans les pâtes cuites avec un peu de crème, ou incorporez à la pâte.

Beurre d'olives Évite les corvées de dénoyautage et de hachage. Enrichit à merveille les pâtes chaudes avec des tomates fraîches, concassées, de même que les sauces à la tomate ou à la viande.

Pesto Version commerciale du pesto au basilic frais. Un ingrédient indispensable, qu'on ajoute dans les soupes et les pâtes chaudes.

Pesto frais On trouve dans certains supermarchés du pesto « frais », vendu en tube. Sa qualité est supérieure à la variété en bocal, mais le pesto maison lui est de loin préférable.

Pesto rouge Vendu dans le commerce, il est confectionné avec des tomates et des poivrons rouges. Il rehausse les soupes et les pâtes chaudes.

Sauce tomate Indispensable pour les préparations rapides. Ajoutez éventuellement des anchois et des olives hachés, ou servez avec des pâtes farcies comme les tortellinis.

Concentré de tomates Utile pour relever des tomates sans goût, il épaissit les sauces à base de viande. Incorporé aux ingrédients de la pâte, il permet de fabriquer des pâtes à la tomate.

Tomates en conserve, entières Remplacent les tomates fraîches, hors saison, pour confectionner la sauce tomate ou des plats en sauce.

Tomates en conserve, concassées Ces tomates-olivettes, généralement d'origine italienne, sont l'ingrédient de base des sauces tomate si vous ne trouvez pas de bonnes tomates fraîches.

Passata ou coulis de tomates Pulpe de tomate débarrassée de ses graines. Sert également à confectionner la sauce tomate.

Tomates séchées à l'huile Ces tomates séchées, en morceaux, relèvent de leur saveur prononcée les plats à base de tomate.

Ci-dessous, dans le sens des aiguilles d'une montre, à partir du haut à gauche : anchois au sel ; tomates en conserve, concassées ; pesto ; beurre d'olives ; tomates-olivettes en conserve ; concentré de tomates ; passata.

Pâtes orientales

Les pays d'Orient offrent une grande diversité de pâtes et de nouilles. On les trouve principalement en Chine et au Japon, ainsi qu'en Malaisie et dans le reste de l'Extrême-Orient, notamment en Inde et au Tibet.

Présentées généralement sous forme de nouilles et rehaussées de légumes ou de poisson, ces pâtes permettent aux populations pauvres de varier un régime alimentaire à base de riz et de haricots. Elles s'ajoutent dans les soupes pour les rendre plus consistantes, ou se consomment comme plat principal. Elles sont fabriquées avec les denrées de base disponibles sur place – farine de riz ou de soja, fécule de pomme de terre – et se cuisent de diverses manières : certaines sont trempées dans l'eau avant d'être frites, d'autres sont cuites à l'eau puis frites, d'autres encore sont étalées avant d'être farcies comme les raviolis, mais la plupart se cuisent simplement à l'eau. Quelques variétés deviennent transparentes pendant la cuisson.

Le plus souvent à base de farine de blé, les nouilles orientales aux œufs se cuisent comme les pâtes occidentales, de même que les nouilles complètes et de sarrasin. Les nouilles blanches fraîches, sans œufs, se préparent comme celles aux œufs. Certaines espèces sèches aux œufs, présentées sous forme compacte, doivent être ébouillantées avant de tremper quelques minutes dans l'eau.

Comme les variétés occidentales, les nouilles orientales s'enrichissent parfois d'ingrédients tels que crevettes, carottes et épinards.

La pâte à raviolis se garnit et se découpe de différentes façons. Bien que parfois commercialisées sous forme de longues nouilles, comme en Occident, les pâtes orientales se présentent en blocs compacts, ronds, carrés ou rectangulaires.

Ci-dessus, nouilles orientales (dans le sens des aiguilles d'une montre, à partir du haut à gauche) : nouilles à la farine de riz ; vermicelle de riz ; nouilles « bâtons de riz » (rice stick noodles) ; vermicelle amoy ; nouilles aux œufs de taille moyenne ; nouilles fraîches marron (brown mein) ; nouilles aux œufs ; vermicelle « bâton de riz » (rice stick) ; nouilles aux œufs fraîches, fines ; nouilles japonaises à la farine de blé ; vermicelle Ho Fan ; nouilles aux épinards ; nouilles aux carottes ; pâte à raviolis ; nouilles à la farine de blé ; nouilles blanches, fraîches (white mein) ; nouilles de sarrasin ; nouilles aux œufs et aux crevettes.

Matériel

Quelques ustensiles de base sont indispensables pour fabriquer et cuisiner les pâtes, même si les personnes expérimentées affirment pouvoir se contenter d'un plan de travail propre et d'un rouleau à pâtisserie.

Couteau de cuisine Pour couper les pâtes et hacher les ingrédients.

Couteau à légumes Pour éplucher les légumes et les citrons, pour les travaux délicats.

Cuillères-mesure Pour mesurer avec précision les petites quantités d'ingrédients.

Écumoire Pour égoutter de petites quantités de nourriture.

Épluche-légumes Pour éplucher les légumes et aussi pour fabriquer les copeaux de parmesan, ou de chocolat (pâtes sucrées).

Fouet Pour battre les œufs et mélanger les sauces.

Grande cuillère en métal Pour incorporer les ingrédients et servir les sauces.

Instrument à raviolis Rond ou carré, pour découper les raviolis. Peut être remplacé par des emporte-pièces.

Machine à pâtes Indispensable pour aplatir et découper la pâte. Accessoires divers selon les formes désirées.

Passoire Pour égoutter rapidement les pâtes cuites.

Petite râpe Pour râper la noix muscade et le parmesan.

Pilon et mortier Pour fabriquer le pesto et écraser les grains de poivre.

Pinceau à pâtisserie Pour retirer des pâtes l'excédent de farine et pour les humecter d'eau, de lait ou d'œuf battu.

Planche à découper En polyéthylène, pour couper les ingrédients.

Plaque à raviolis (*raviolatore*) Pour confectionner rapidement les raviolis.

Rouleau à pâtisserie Les boutiques spécialisées vendent des rouleaux à pâtes longs, fins et pointus aux extrémités, mais leur utilisation nécessite une certaine dextérité. Un rouleau ordinaire en bois fera parfaitement l'affaire.

Roulette à pâtisserie Pour découper les pâtes en les ornant de bordures décoratives, comme les papillons.

Saladiers Plusieurs de tailles différentes pour mélanger ou battre les ingrédients.

Saupoudreuse à farine Pour saupoudrer légèrement les pâtes de farine.

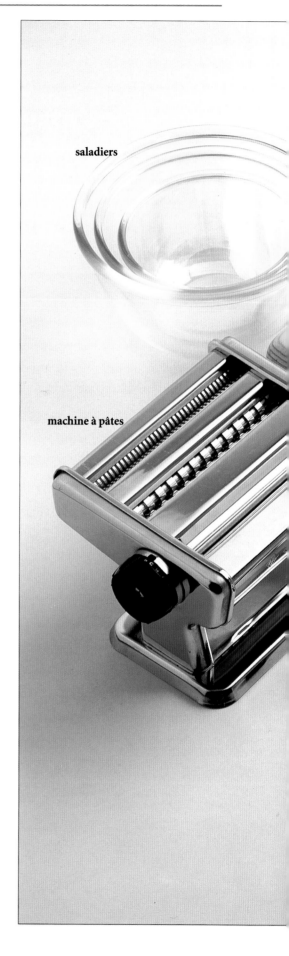

saladiers

machine à pâtes

saupoudreuse
à farine

écumoire

rouleau
à pâtisserie

pilon et mortier

grande cuillère
en métal

emporte-pièce

passoire

couteau
de cuisine

couteau
à légumes

plaque
à raviolis
(*raviolatore*)

épluche-légumes

petite râpe

pinceau
à pâtisserie

roulette
à pâtisserie

cuillères-mesure

fouet

instrument
à raviolis

À propos des pâtes

La pâtes sont généralement fabri-quées avec de la farine de blé dur et de l'eau, le blé dur ayant une teneur élevée en protéines. À base de farine et d'œufs, la pâte aux œufs, *pasta all'uova*, sert à la confection des pâtes plates telles que tagliatelles ou lasagnes. Peu consommées en Italie, les pâtes complètes sont prisées dans nombre d'autres pays.

Les différentes variétés de pâtes se vendent sèches, en paquets, et se conservent presque indéfiniment. Les pâtes fraîches sont désormais commercialisées dans la plupart des supermarchés. Souvent de bonne qualité, elles ne rivalisent toutefois pas avec celles qu'on peut fabriquer soi-même.

Les pâtes offrent une gamme infinie de formes et de tailles. Il est impossible d'en donner une liste exhaustive, les noms variant d'une région à l'autre du monde, et même à l'intérieur d'un même pays, comme en Italie. Les espèces utilisées le plus couramment dans les recettes de cet ouvrage sont détaillées dans les pages suivantes.

Les recettes indiquent le plus souvent la variété de pâtes la plus appropriée pour une sauce donnée.

Mais elle peut être remplacée par une autre. En général, les pâtes longues s'accordent mieux avec les sauces liquides ou à base de tomate, les pâtes courtes avec les sauces épaisses, à base de viande. Mais cette règle peut donner lieu à de multiples variations. Le plaisir de cuisiner et de consommer les pâtes tient en partie à l'art de les accommoder avec les sauces.

Confection des pâtes à la main

Originaire de l'Émilie-Romagne, la région de Bologne, cette recette de pâte aux œufs nécessite trois ingrédients seulement : farine, œufs et un peu de sel. Dans d'autres régions de l'Italie, on ajoute parfois de l'eau, du lait ou de l'huile. Utilisez de la farine blanche et de gros œufs, en comptant 50 g/ ½ tasse de farine pour un œuf ; adaptez la quantité de farine en fonction de la taille des œufs.

Pour 3 à 4 personnes
150 g/1 ¼ tasse de farine
2 œufs
1 pincée de sel

Pour 4 à 6 personnes
210 g/2 petites tasses de farine
3 œufs
1 pincée de sel

Pour 6 à 8 personnes
275 g/2 ½ tasses de farine
4 œufs
1 pincée de sel

1 Mettez la farine sur un plan de travail propre et lisse, puis creusez une fontaine au milieu. Cassez les œufs dedans et salez.

2 Commencez à mélanger les œufs avec une fourchette, en faisant tomber progressivement la farine au centre. Lorsque la pâte épaissit, continuez à la travailler avec les mains. Incorporez la farine jusqu'à obtention d'une consistance solide. Si la pâte colle un peu, farinez légèrement. Mettez-la de côté. Nettoyez soigneusement le plan de travail, puis lavez et essuyez vos mains.

3 Farinez le plan de travail. Pétrissez la pâte en l'aplatissant avec la paume de la main, puis en la repliant vers vous. Répétez cette opération plusieurs fois, en retournant la pâte. Travaillez-la pendant 10 min., jusqu'à ce qu'elle devienne lisse et élastique.

4 Si vous utilisez plus de 2 œufs, divisez la pâte en deux. Farinez le rouleau à pâtisserie et le plan de travail. Abaissez la pâte sous forme arrondie, en la faisant pivoter d'un quart de cercle après chaque coup de rouleau pour obtenir un disque régulier d'environ 3 mm/ ⅛ po d'épaisseur.

chaque fois à un endroit différent de la pâte pour régulariser l'épaisseur. À la fin, la pâte doit être lisse et presque transparente (ce travail ne doit pas durer plus de 8 à 10 min. pour que la pâte garde son élasticité). Si elle colle, farinez légèrement vos mains en continuant à la rouler et à l'étirer de la même manière.

8 Pour obtenir des tagliatelles, des fettucine ou des tagliolini, pliez la pâte sous forme de rouleau plat d'environ 10 cm/4 po de largeur. Découpez dans la largeur à la taille désirée : 3 mm/⅛ po pour les tagliolini ; 4 mm/¹⁄₁₆ po pour les fettuccine ; 5 mm/¼ po pour les tagliatelles. Dépliez ensuite les bandes de pâte et laissez sécher 5 min. avant de cuire. Ces pâtes se conservent plusieurs semaines sans réfrigération. Laissez-les sécher complètement avant de les garder, sans les couvrir, dans un endroit sec.

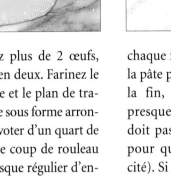

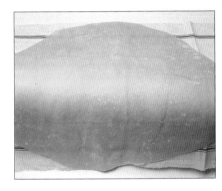

5 Continuez à aplatir la pâte jusqu'à ce qu'elle soit très fine, en l'enroulant autour du rouleau tout en l'étirant vers les côtés avec les mains. Enroulez le bord de la pâte au milieu du rouleau, puis déroulez la pâte, en glissant les mains du centre vers les extrémités du rouleau pour l'étirer et la rendre plus fine.

6 Répétez rapidement cette opération jusqu'à ce que les deux tiers de la feuille de pâte soient enroulés autour du rouleau. Soulevez la pâte enroulée et faites-la pivoter de 45° avant de la dérouler. Commencez

7 Pour fabriquer des pâtes longues, telles que tagliatelles ou fettuccine, posez un torchon propre sur une table ou toute autre surface plate, puis étalez la pâte dessus, en laissant environ un tiers pendre au-dessus du bord de la table. Faites pivoter la pâte toutes les 10 min. Étalez la seconde épaisseur de pâte si vous utilisez plus de 2 œufs. Au bout de 25 à 30 min., la pâte est suffisamment sèche pour être découpée. Ne laissez pas trop sécher pour éviter qu'elle ne se casse lorsque vous la détaillerez.

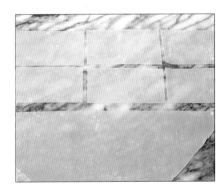

9 Pour préparer des lasagnes ou des pappardelle, il est inutile de plier ou de laisser sécher la pâte étalée. Pour obtenir des lasagnes, découpez des rectangles d'environ 13 × 9 cm/ 5 × 3 ½ po. Les pappardelle sont de longues pâtes d'environ 2 cm/¾ po de largeur, découpées avec une roulette à pâtisserie.

Confection des pâtes à la machine

La confection des pâtes à la machine est facile et rapide. Bien que le résultat ne soit pas toujours aussi satisfaisant qu'à la main, la qualité est supérieure à celle des pâtes industrielles.

Utilisez une machine manuelle ou électrique, et les mêmes proportions d'œufs, de farine et de sel que pour les pâtes fabriquées à la main.

1 Mettez la farine sur un plan de travail propre et lisse, puis creusez une fontaine au milieu. Cassez les œufs dedans et salez. Commencez à battre les œufs avec une fourchette, en faisant tomber la farine progressivement au milieu. Lorsque la pâte épaissit, continuez à mélanger avec les mains. Incorporez la farine jusqu'à obtention d'une consistance solide et homogène. Si la pâte colle, farinez légèrement. Mettez-la de côté et nettoyez soigneusement le plan de travail.

2 Positionnez les rouleaux de la machine sur l'épaisseur maximale (pétrissage). Prenez un pâton de la taille d'une petite orange. Placez le reste de pâte entre deux assiettes à soupe. Posez la pâte dans les rouleaux. Pliez-la en deux, puis passez-la de nouveau 7 à 8 fois dans la machine, en la retournant et en la pliant à chaque fois. La pâte doit être lisse et former un rectangle régulier. Si elle colle à la machine, saupoudrez

de farine. Posez-la sur un plan de travail ou un torchon propre, légèrement fariné, et répétez l'opération avec le reste de pâte, détaillé en pâtons de taille équivalente.

3 Réglez la machine sur le cran suivant. Passez chaque bande une seule fois dans la machine, puis laissez sécher. Posez les bandes dans l'ordre où vous les avez prises.

4 Réglez la machine sur le cran suivant. Répétez l'opération, en passant chaque bande une fois dans la machine. Procédez de même avec chaque cran, jusqu'à ce que la pâte soit de l'épaisseur désirée – généralement l'avant-dernier cran, sauf pour les pâtes très fines telles que tagliolini ou raviolis. Si les bandes de pâte deviennent trop longues, coupez-les en deux pour les manipuler plus facilement.

5 Vérifiez que la pâte est suffisamment sèche, mais pas trop, pour éviter que les pâtes ne collent lorsque vous les couperez. Sélectionnez une largeur de coupe, et passez la pâte dans la machine.

6 Séparez les pâtes et laissez sécher au moins 15 min. avant emploi. Elles se conservent plusieurs semaines sans réfrigération. Laissez sécher complètement avant de les garder, sans les couvrir, dans un endroit sec. Elles peuvent également être congelées, en prenant soin de les disposer d'abord séparément sur des plaques.

7 Si vous souhaitez fabriquer des pâtes à farcir, telles que raviolis ou cannellonis, ne laissez pas sécher complètement la pâte avant de remplir de garniture.

PÂTES VERTES
❧

Suivez la même recette, en mélangeant aux œufs et à la farine 50 g/¼ tasse d'épinards cuits, débarrassés de leur jus et finement hachés. Ajoutez éventuellement un peu de farine pour absorber l'humidité des épinards. Cette pâte convient parfaitement pour les pâtes à farcir, car les bords se soudent plus facilement qu'avec la pâte simple.

Cuisson des pâtes sèches

*Les pâtes industrielles et celles fabri-
quées maison se cuisent de la même
manière, seul le temps varie. Les pâtes
maison cuisent pendant que l'eau
revient à ébullition, une fois qu'elles
ont été jetées dans la casserole.*

1 Cuisez toujours les pâtes dans
une grande quantité d'eau bouillante. Comptez au moins 1 à 2 litres/4
à 8 tasses d'eau pour 115 g/4 oz de
pâtes.

2 Salez l'eau au moins 2 min. avant
de jeter les pâtes, pour laisser le
sel se dissoudre. Comptez environ
1 ½ c. à soupe de sel pour 450 g/1 lb
de pâtes.

3 Jetez les pâtes dans l'eau bouillante en une seule fois. Faites
glisser les longues pâtes avec une
cuillère en bois pour qu'elles ne cas-
sent pas. Remuez de temps en temps
pour éviter qu'elles ne collent entre

elles ou à la casserole. Faites cuire à
gros bouillons, mais baissez le feu si
l'eau déborde.

4 Le temps de cuisson est délicat
pour les pâtes. Suivez les instructions du fabricant indiquées sur le
paquet pour les pâtes industrielles,
tout en adaptant selon vos goûts
en vérifiant la cuisson. Les Italiens
consomment les pâtes *al dente*, c'est-
à-dire tendres mais fermes à l'intérieur. Les pâtes trop cuites prennent
l'apparence d'une bouillie.

5 Dès la cuisson terminée, renversez les pâtes dans une passoire,
dans l'évier (réservez éventuellement
une tasse d'eau pour allonger la
sauce). Secouez la passoire pour éli-
miner presque toute l'eau. Les pâtes
ne doivent jamais être totalement
débarrassées de leur eau de cuisson.

6 Dressez aussitôt les pâtes sur un
plat de service chaud et mélangez
avec un peu de beurre, d'huile ou de
sauce. Ou bien mettez-les dans une
casserole avec la sauce, et chauffez 1
à 2 min. en remuant. Ne laissez
jamais les pâtes reposer seules pour
éviter qu'elles ne collent.

Cuisson des pâtes fraîches

*Les pâtes fraîches, notamment celles
fabriquées maison, cuisent beaucoup plus rapidement que les sèches.
Pensez à préparer la sauce et les
plats de service avant de commencer
la cuisson, car les pâtes fraîches
deviennent collantes lorsqu'elles
reposent trop longtemps.*

1 Faites cuire les pâtes dans une
grande quantité d'eau bouillante.
Comptez au moins 1 à 2 litres/4 à
8 tasses d'eau pour une quantité de
pâtes fabriquées avec 115 g/1 tasse de
farine. Salez l'eau.

2 Jetez les pâtes dans l'eau
bouillante en une seule fois.
Remuez délicatement pour éviter
qu'elles ne collent entre elles ou à la
casserole, puis faites cuire à gros
bouillons.

3 La cuisson des pâtes fraîches est
parfois terminée 15 secondes
seulement après que l'eau recom-
mence à bouillir. Celle des pâtes farcies dure quelques minutes de plus.
Renversez ensuite les pâtes dans la
passoire et procédez comme pour les
pâtes sèches.

Macaronis

Le terme macaronis désigne toutes les pâtes creuses. La technique décrite ici correspond à la fabrication des garganelle.

1 Découpez des carrés de pâte avec un couteau pointu sur une surface farinée.

2 Enroulez les carrés en diagonale autour d'un crayon ou d'une baguette pour former des tubes. Faites glisser le long de la baguette et laissez sécher légèrement.

PÂTES AUX ÉPINARDS

Prenez 150 g/5 oz d'épinards en branches surgelés, cuits et débarrassés de leur jus, une pincée de sel, 2 œufs, 200 g/1 ¾ tasse de farine blanche, ou un peu plus si la pâte est collante. Procédez comme pour les pâtes nature, mais en mixant les épinards avec les œufs afin d'obtenir une consistance fine.

Tagliatelles

Les tagliatelles peuvent être fabriquées à la machine, mais elles se confectionnent facilement à la main.

1 Enroulez la pâte farinée comme un gâteau roulé.

2 Détaillez le rouleau en fines rondelles avec un couteau très pointu, puis laissez-les se dérouler. Pour obtenir des taglianni, coupez des rondelles d'environ 3 mm/⅛ po de largeur.

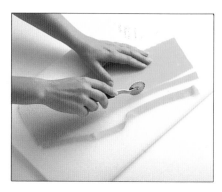

3 Pour fabriquer des pappardelle, découpez de larges bandes dans la pâte étalée avec une roulette à pâtisserie.

Tortellinis

Les tortellinis peuvent être garnis de viande ou de légumes, et servis avec une sauce ou dans une soupe.

1 Découpez des cercles de pâte avec un emporte-pièce rond.

2 Déposez la garniture au milieu de chacun avec une cuillère ou une poche à douille.

3 Enduisez les bords d'œuf battu et fermez le cercle en forme de croissant, en chassant l'air. Repliez les deux extrémités l'une sur l'autre et appuyez pour souder. Procédez de même avec le reste de pâte. Laissez sécher les tortellinis 30 min. sur un torchon fariné avant de cuire.

Pour 4 à 6 personnes
450 g/1 lb d'épinards surgelés, décongelés et débarrassés de leur jus
½ c. à café de noix muscade, râpée
½ c. à café de sel
poivre noir moulu
175 g/¾ tasse de ricotta fraîche ou de fromage frais
25 g/¼ tasse de parmesan, fraîchement râpé

Mettez tous les ingrédients dans un robot et mixez pour obtenir une consistance homogène. Utilisez suivant les instructions de la recette.

Raviolis

Les meilleurs raviolis sont ceux fabriqués maison. Servez-les avec une sauce ou dans une soupe.

1 Divisez la pâte en deux et enveloppez une portion dans du film alimentaire. Abaissez la pâte sous forme d'un rectangle mince sur une surface farinée. Couvrez avec un torchon humide propre et procédez de même avec le reste de pâte. Déposez de petites quantités (environ 1 c. à café) de garniture en rangs réguliers, à 4 cm/1 ½ po d'intervalle, sur un morceau de pâte. Enduisez les intervalles d'œuf.

2 Déposez le second morceau de pâte étalé sur le premier avec un rouleau à pâtisserie. Appuyez entre les intervalles, pour chasser l'air.

3 Découpez en carrés avec un instrument à raviolis ou un couteau pointu. Posez les raviolis sur un torchon fariné et laissez reposer 1 h avant de les cuire.

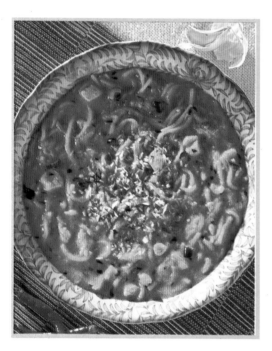

SOUPES AUX PÂTES

Soupe aux pâtes, aux haricots et aux légumes

Cette soupe riche et colorée satisfera les appétits les plus exigeants.

Pour 4 à 6 personnes

115 g/4 oz de haricots secs (borlotti),
  égouttés après avoir trempé toute la nuit
1,2 litre/5 tasses de bouillon de légumes,
  de volaille ou de viande
1 gros oignon, émincé
1 grosse gousse d'ail, finement écrasée
2 bâtons de céleri, émincés
½ poivron rouge, épépiné et haché
350 g/12 oz de tomates pelées, épépinées
  et concassées, ou de tomates concassées
  en conserve
225 g/8 oz de lard fumé
75 g/3 oz de vermicelle à potage
2 courgettes, coupées en deux dans la
  longueur et émincées
1 c. à soupe de concentré de tomates
sel et poivre noir moulu
basilic frais, ciselé, pour la décoration

1 Mettez les haricots dans une grande sauteuse. Couvrez d'eau froide et portez à ébullition. Laissez bouillir 10 min., puis égouttez et rincez. Remettez les haricots dans la sauteuse, versez le bouillon et portez à ébullition. Retirez l'écume.

2 Ajoutez l'oignon, l'ail, le céleri, le poivron, les tomates et le lard, puis portez de nouveau à ébullition.

3 Couvrez et laissez frémir 1 h 30 à feu doux, jusqu'à ce que les haricots soient tendres. Retirez le lard. Coupez la viande grossièrement avec deux fourchettes et réservez.

4 Ajoutez les pâtes, les courgettes et le concentré de tomates dans la soupe. Salez et poivrez. Laissez frémir encore 5 à 8 min., sans couvrir, en remuant de temps en temps. (Vérifiez le temps de cuisson des pâtes sur le paquet.)

5 Ajoutez le lard. Rectifiez si besoin l'assaisonnement avant de servir la soupe chaude, saupoudrée de basilic frais.

Soupe de pâtes consistante

*Cette soupe nourrissante peut faire
office de plat unique, accompagnée
de tartines de pain garnies de pesto.*

INGRÉDIENTS

Pour 4 personnes

115 g/⅔ tasse de haricots secs, ayant trempé
toute la nuit dans l'eau froide

1 c. à soupe d'huile

1 oignon, émincé

2 bâtons de céleri, finement émincés

2 à 3 gousses d'ail, écrasées

2 poireaux, finement émincés

1 cube de bouillon de légumes

400 g/14 oz de pimientos en conserve
ou en bocal

3 à 4 c. à soupe de concentré de tomates

115 g/4 oz de pâtes

4 tranches de pain

1 c. à soupe de sauce au pesto

115 g/4 oz d'épis de maïs, coupés en deux

50 g/2 oz de brocolis et de bouquets de chou-fleur

quelques gouttes de sauce Tabasco

sel et poivre noir moulu

1 Égouttez les haricots, puis mettez-les dans une grande casserole avec 1,2 litre/5 tasses d'eau. Portez à ébullition et laissez frémir 1 h environ, jusqu'à ce qu'ils soient presque tendres.

2 Lorsque les haricots sont presque cuits, faites revenir les légumes pendant 2 min. dans l'huile chaude, dans une grande casserole. Ajoutez le cube de bouillon et les haricots avec 600 ml/2 tasses du liquide de cuisson. Couvrez et laissez frémir 10 min.

3 Pendant ce temps, écrasez les pimientos avec un peu de leur liquide et incorporez dans la casserole. Mélangez le concentré de tomates et les pâtes, puis faites cuire le tout 15 min. Préchauffez le four à 200 °C/400 °F/th. 6.

4 Pour préparer les croûtes de pesto, étalez la sauce au pesto sur les tartines de pain et faites griller 10 min. au four.

5 Lorsque les pâtes sont cuites à point, ajoutez le maïs, les brocolis et le chou-fleur, le Tabasco et l'assaisonnement. Faites chauffer 2 à 3 min. et servez aussitôt avec les croûtes.

Soupe de poulet thaïlandaise

Cette soupe orientale traditionnelle jouit désormais d'une renommée mondiale.

INGRÉDIENTS

Pour 4 personnes

1 c. à soupe d'huile végétale

1 gousse d'ail, finement écrasée

2 blancs de poulet d'environ 175 g/6 oz chacun,
    sans la peau ni les os et émincés

½ c. à café de curcuma moulu

¼ c. à café de piment fort moulu

75 g/3 oz de crème de coco

900 ml/3 ¾ tasses de bouillon de poule chaud

2 c. à soupe de jus de citron

2 c. à soupe de beurre de cacahuètes

50 g/2 oz de nouilles aux œufs fines, en petits
    morceaux

1 c. à soupe de petits oignons, émincés

1 c. à soupe de coriandre fraîche, ciselée

sel et poivre noir moulu

2 c. à soupe de noix de coco séchée
    et ½ piment rouge frais, épépiné et finement
    haché, pour la décoration

1 Dans une grande casserole, faites dorer l'ail pendant 1 min. dans l'huile chaude. Ajoutez le poulet, les épices, et remuez pendant 3 à 4 min.

2 Émiettez la crème de coco dans le bouillon de poule chaud et remuez jusqu'à dissolution. Versez sur le poulet avant d'incorporer le jus de citron, le beurre de cacahuètes et les nouilles.

3 Couvrez et laissez frémir environ 15 min. Ajoutez les oignons et la coriandre, assaisonnez et poursuivez la cuisson pendant 5 min.

4 Pendant ce temps, faites chauffer la noix de coco et le piment 2 à 3 min. dans une petite poêle, en remuant régulièrement, jusqu'à ce que la noix de coco soit dorée.

5 Servez la soupe dans des bols chauds, saupoudrée de noix de coco et de piment.

Minestrone traditionnel

Cette célèbre soupe italienne a donné lieu à diverses interprétations à travers le monde. La version traditionnelle est la fois délicieuse et saine, à base de pâtes, de haricots secs et de légumes frais.

INGRÉDIENTS

Pour 4 personnes

1 gros poireau, finement émincé

2 carottes, en morceaux

1 courgette, finement émincée

115 g/4 oz de haricots verts, coupés en deux

2 bâtons de céleri, finement émincés

3 c. à soupe d'huile d'olive

1,5 litre/6 ¼ tasses de bouillon ou d'eau

400 g/14 oz de tomates concassées en conserve

1 c. à soupe de basilic frais, ciselé

1 c. à café de thym frais, effeuillé, ou ½ c. à café de thym séché

sel et poivre noir moulu

400 g/14 oz de haricots rouges ou cannellini en conserve

50 g/2 oz de petites pâtes ou de macaronis

parmesan, finement râpé, pour la décoration (facultatif)

persil frais, ciselé, pour la décoration

1 Mettez tous les légumes frais dans une grande casserole avec l'huile d'olive. Faites chauffer puis couvrez, baissez le feu et laissez cuire 15 min., en remuant la casserole de temps en temps.

ASTUCE

Le minestrone est délicieux également servi froid, par temps chaud. Il est encore plus savoureux fabriqué un jour ou deux à l'avance et conservé au réfrigérateur. Il peut aussi se congeler et se réchauffer.

2 Ajoutez le bouillon ou l'eau, les tomates, les herbes et l'assaisonnement. Portez à ébullition, couvrez et laissez frémir doucement pendant 30 min.

3 Incorporez les haricots secs avec leur jus ainsi que les pâtes, et poursuivez la cuisson pendant 10 min. à feu doux. Vérifiez l'assaisonnement et servez chaud, saupoudré de parmesan et de persil.

Soupe au jambon et aux petits pois

Les petits pois surgelés apportent leur délicieuse fraîcheur colorée dans cette soupe d'hiver nourrissante, qui peut constituer un plat unique ou une entrée.

INGRÉDIENTS

Pour 4 personnes

115 g/4 oz de petites pâtes

2 c. à soupe d'huile végétale

1 botte de petits oignons, émincés

350 g/3 tasses de petits pois surgelés

1,2 litre/5 tasses de bouillon de poule

225 g/8 oz de jambon cru ou de lard non fumé

4 c. à soupe de crème fraîche

sel et poivre noir moulu

pain chaud et croustillant, en accompagnement

1 Faites cuire les pâtes dans une grande quantité d'eau bouillante salée, selon les instructions indiquées sur le paquet. Égouttez dans une passoire, remettez dans la casserole, couvrez d'eau froide et réservez.

2 Dans une grande casserole, faites revenir les oignons dans l'huile chaude, jusqu'à ce qu'ils soient tendres, mais pas dorés. Ajoutez les petits pois et le bouillon, puis laissez frémir 10 min. à feu doux.

3 Mixez la soupe dans un robot et reversez dans la casserole. Détaillez le jambon ou le lard en petits morceaux et incorporez avec les pâtes dans la casserole. Laissez frémir 2 à 3 min. et assaisonnez. Ajoutez la crème fraîche, puis servez aussitôt avec le pain chaud et croustillant.

Consommé aux agnolotti

Un bouillon réconfortant aux délicates saveurs.

INGRÉDIENTS

Pour 4 à 6 personnes

75 g/3 oz de crevettes cuites, décortiquées

75 g/3 oz de chair de crabe en conserve, égouttée

1 c. à café de gingembre frais, pelé
    et finement râpé

1 c. à soupe de chapelure

1 c. à café de sauce de soja

1 petit oignon, finement émincé

1 gousse d'ail, écrasée

sel et poivre noir moulu

1 portion de pâte fraîche

farine

blanc d'œuf battu

400 g/14 oz de bouillon de poule
    ou de court-bouillon

2 c. à soupe de xérès ou de vermouth

50 g/2 oz de crevettes cuites, décortiquées,
    et des feuilles de coriandre fraîche,
    pour la décoration

1 Pour préparer la garniture des pâtes, mettez dans un robot les crevettes, le crabe, le gingembre, la chapelure, la sauce de soja, l'oignon, l'ail et l'assaisonnement. Mixez jusqu'à obtention d'un mélange homogène.

2 Aplatissez la pâte sous forme de minces feuilles et saupoudrez légèrement de farine. Découpez 32 cercles de 5 cm/2 po de diamètre avec un emporte-pièce.

3 Déposez une petite cuillerée à café de garniture au centre de la moitié des cercles de pâte. Humectez les bords de blanc d'œuf et posez dessus un autre cercle. Pincez les bords pour les consolider.

4 Faites cuire les pâtes 5 min. dans une grande casserole d'eau bouillante salée (procédez en plusieurs fois pour éviter qu'elles ne collent). Sortez-les, puis laissez-les 5 secondes dans l'eau froide avant de les poser sur un plateau. (Vous pouvez préparer les pâtes la veille, les couvrir de film alimentaire et les garder au réfrigérateur.)

5 Faites chauffer le bouillon de poule ou le court-bouillon dans une casserole avec le xérès ou le vermouth. Lorsque le liquide commence à bouillir, ajoutez les pâtes et laissez frémir 1 à 2 min.

6 Servez dans des assiettes à soupe avec le bouillon chaud. Décorez de crevettes et de coriandre.

Soupe à l'oignon et à la betterave

La couleur étonnante de cette soupe surprendra vos convives.

INGRÉDIENTS

Pour 4 à 6 personnes

1 c. à soupe d'huile d'olive

2 gousses d'ail, écrasées

350 g/12 oz d'oignons rouges, émincés

275 g/10 oz de betteraves cuites, coupées
    en bâtonnets

1,2 litre/5 tasses de bouillon de légumes
    ou d'eau

50 g/2 oz de petites pâtes, cuites

2 c. à soupe de vinaigre de framboise

sel et poivre noir moulu

yaourt ou fromage blanc allégé et ciboulette,
    hachée, pour la décoration

3 Incorporez les betteraves, le bouillon ou l'eau, les pâtes, le vinaigre, et laissez quelques minutes sur le feu. Salez et poivrez.

4 Servez dans des bols à soupe chauds. Déposez sur le dessus une cuillerée à soupe de yaourt ou de fromage blanc, et décorez de ciboulette.

1 Faites chauffer l'huile dans une cocotte, puis ajoutez l'ail et les oignons.

2 Faites rissoler pendant 20 min., jusqu'à ce que les oignons et l'âil soient tendres.

Soupe chinoise aux légumes et aux nouilles

Une soupe facile et rapide à préparer.

INGRÉDIENTS

Pour 4 personnes

1,2 litre/5 tasses de bouillon de légumes
    ou de poule

1 gousse d'ail, légèrement écrasée

1 morceau de gingembre frais de 2,5 cm/1 po,
    pelé et coupé en fins bâtonnets

2 c. à soupe de sauce de soja

1 c. à soupe de vinaigre de cidre

75 g/3 oz de champignons de Paris,
    sans les queues, finement émincés

2 gros oignons, finement émincés

40 g/1 ½ oz de vermicelle ou de nouilles fines

175 g/6 oz de feuilles de bettes, détaillées
    en lanières

quelques feuilles de coriandre

1 Versez le bouillon dans une casserole. Ajoutez l'ail, le gingembre, la sauce de soja et le vinaigre. Portez à ébullition, couvrez, puis réduisez à petit feu. Laissez frémir doucement 10 min. Retirez la gousse d'ail et jetez-la.

2 Incorporez les champignons, les oignons, et portez de nouveau à ébullition. Laissez frémir 5 min., sans couvrir, en remuant de temps en temps. Ajoutez les nouilles et les bettes, et poursuivez la cuisson pendant 3 à 4 min. à feu doux, jusqu'à ce que les nouilles et les légumes soient tendres. Ajoutez les feuilles de coriandre et laissez frémir encore 1 min. Servez chaud.

Soupe de vermicelle au poulet et aux œufs

Une soupe simple, qui se prête aux interprétations les plus variées. Vous pouvez y incorporer toutes sortes de restes – oignons, champignons, crevettes, salami.

INGRÉDIENTS

Pour 4 à 6 personnes

3 œufs

2 c. à soupe de coriandre ou de persil frais, ciselé

1,5 litre/6 ¼ tasses de bouillon de poule

115 g/4 oz de vermicelle ou de cheveux d'ange

115 g/4 oz de blancs de poulet cuits, détaillés en lamelles

sel et poivre noir moulu

1 Pour préparer les œufs en lamelles, battez-les dans un petit saladier et ajoutez la coriandre ou le persil.

2 Faites chauffer une petite poêle à fond antiadhésif et versez 2 à 3 c. à soupe d'œuf. Faites cuire comme une omelette. Procédez de la même manière avec le reste de préparation.

3 Enroulez chaque omelette et coupez en fines lamelles, puis réservez.

4 Portez le bouillon à ébullition et ajoutez les pâtes, en les coupant en petits morceaux. Faites cuire 3 à 5 min., jusqu'à ce que les pâtes soient presque tendres, puis incorporez le poulet. Salez, poivrez, et faites chauffer 2 à 3 min., puis mélangez les lamelles d'œufs. Servez aussitôt.

SOUPE DE POULET THAÏLANDAISE

Pour préparer une soupe version thaïe, remplacez les pâtes par des nouilles de riz chinoises. Mélangez dans le bouillon ½ c. à café de citronnelle séchée, 2 petits piments frais et 4 c. à soupe de lait de coco. Ajoutez 4 oignons émincés et de la coriandre fraîche, ciselée.

Velouté au parmesan et au chou-fleur

Cette soupe onctueuse, à base de fromage, s'enrichit de la saveur du chou-fleur. Accompagnée de toasts grillés, elle ouvre le dîner avec élégance.

INGRÉDIENTS

Pour 6 personnes

1 gros chou-fleur

1,2 litre/5 tasses de bouillon de poule
   ou de légumes

175 g/6 oz de farfalle

⅔ tasse de lait ou de crème fraîche liquide

noix muscade, fraîchement râpée

1 pincée de poivre de Cayenne

4 c. à soupe de parmesan, fraîchement râpé

sel et poivre noir moulu

Pour les toasts grillés

3 à 4 tranches de pain de mie blanc de la veille

parmesan, fraîchement râpé

¼ c. à café de paprika

3 Jetez les pâtes dans le bouillon et laissez frémir 10 min., jusqu'à ce qu'elles soient tendres. Égouttez et réservez, puis versez le liquide sur le chou-fleur. Incorporez au chou-fleur la crème ou le lait, la noix muscade et le poivre de Cayenne. Mixez jus-

qu'à obtention d'un mélange homogène, puis pressez dans un tamis. Ajoutez les pâtes. Réchauffez la soupe et ajoutez le parmesan. Rectifiez si besoin l'assaisonnement.

4 Préparez les toasts pendant ce temps. Préchauffez le four à 180 °C/350 °F/th. 4. Faites dorer le pain des deux côtés. Retirez la croûte et coupez chaque tranche en deux. Saupoudrez de parmesan et de paprika. Posez sur une plaque de cuisson et faites griller 10 à 15 min. au four. Servez avec la soupe.

1 Coupez, puis jetez les feuilles et la tige centrale du chou-fleur. Détaillez en bouquets de taille égale.

2 Portez le bouillon à ébullition et jetez le chou-fleur dedans. Laissez frémir 10 min., jusqu'à ce qu'il soit cuit. Retirez avec une écumoire et mettez dans un robot.

Soupe aux haricots et aux pâtes

Accompagnée de pain et de fromage, cette soupe épaisse constituera un repas nourrissant.

INGRÉDIENTS

Pour 6 personnes

175 g/1 ½ tasse de haricots secs, ayant trempé toute la nuit dans l'eau froide

1,75 litre/7 ½ tasses de bouillon de poule ou d'eau

115 g/4 oz de conchiglie de taille moyenne

4 c. à soupe d'huile d'olive, plus un peu pour servir

2 gousses d'ail, écrasées

4 c. à soupe de persil frais, ciselé

sel et poivre noir moulu

1 Égouttez les haricots et mettez-les dans une grande casserole avec le bouillon ou l'eau. Laissez frémir, en couvrant à moitié, pendant 2 h à 2 h 30, jusqu'à ce qu'ils soient tendres.

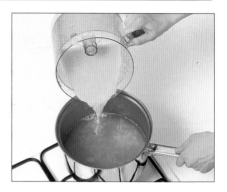

2 Mixez dans un robot la moitié des haricots avec un peu du jus de cuisson, puis mélangez au reste de haricots dans la casserole.

3 Ajoutez les pâtes et laissez frémir 15 min., jusqu'à ce qu'elles soient cuites. (Allongez la soupe avec l'eau ou le bouillon si elle paraît trop épaisse.)

4 Faites blondir l'ail dans l'huile chaude. Incorporez à la soupe avec le persil, puis salez et poivrez généreusement. Versez dans des bols individuels et arrosez d'huile d'olive.

Soupe aux courgettes et aux pâtes

Une soupe rafraîchissante, dans laquelle le concombre peut remplacer les courgettes.

INGRÉDIENTS

Pour 4 à 6 personnes

4 c. à soupe d'huile d'olive ou de tournesol

2 oignons, finement émincés

1,5 litre/6 ¼ tasses de bouillon de poule

900 g/2 lb de courgettes

115 g/4 oz de petites pâtes à potage

jus de citron

sel et poivre noir moulu

2 c. à soupe de cerfeuil, fraîchement ciselé

crème fraîche, pour servir

1 Faites chauffer l'huile dans une grande casserole et ajoutez les oignons. Couvrez et laissez cuire doucement pendant 20 min., jusqu'à ce qu'ils soient tendres mais non dorés.

2 Versez le bouillon dans la casserole et portez à ébullition.

3 Pendant ce temps, râpez les courgettes et incorporez au bouillon avec les pâtes. Réduisez le feu et laissez frémir 15 min., jusqu'à ce que les pâtes soient tendres. Assaisonnez de jus de citron, de sel et de poivre.

4 Mélangez le cerfeuil et une cuillerée de crème fraîche avant de servir.

Minestrone

Cette soupe consistante, originaire de Milan, a donné lieu à diverses variations le long des côtes méditerranéennes, en Italie et en France. Coupez les légumes de la grosseur de votre choix et ajoutez le parmesan juste avant de servir.

Pour 6 à 8 personnes

225 g/2 tasses de haricots secs

2 c. à soupe d'huile d'olive

50 g/2 oz de lardons fumés

2 gros oignons, émincés

2 gousses d'ail, écrasées

2 carottes, coupées en dés

3 bâtons de céleri, émincés

400 g/14 oz de tomates concassées en conserve

2,25 litres/10 tasses de bouillon de bœuf

350 g/12 oz de pommes de terre, en dés

175 g/6 oz de petites pâtes : macaronis, coquillettes, etc.

225 g/8 oz de chou, coupé en lanières

175 g/6 oz de haricots verts fins, en petits morceaux

115 g/1 tasse de petits pois surgelés

3 c. à soupe de persil frais, ciselé

sel et poivre noir moulu

parmesan, fraîchement râpé

1 Couvrez les haricots secs d'eau froide et laissez tremper toute la nuit.

2 Faites chauffer l'huile dans une grande sauteuse, puis ajoutez les lardons, les oignons et l'ail. Couvrez et laissez cuire doucement 5 min., en remuant de temps en temps.

3 Ajoutez les carottes, le céleri, et poursuivez la cuisson pendant 2 à 3 min., jusqu'à ce que les légumes soient tendres.

4 Égouttez les haricots secs. Mettez-les dans la sauteuse avec les tomates et le bouillon. Laissez frémir 2 h à 2 h 30 à couvert.

5 Ajoutez les pommes de terre 30 min. avant la fin de la cuisson.

6 Mélangez les pâtes, le chou, les haricots verts, les petits pois et le persil 15 min. avant la fin de la cuisson. Assaisonnez et servez avec du parmesan râpé.

Soupe de poisson aux pâtes

Cette soupe offre les riches couleurs et saveurs de la Méditerranée. Elle peut être servie comme plat unique.

INGRÉDIENTS

Pour 4 personnes

2 c. à soupe d'huile d'olive

1 oignon, émincé

1 gousse d'ail, écrasée

1 poireau, émincé

225 g/8 oz de tomates concassées en conserve

1 pincée d'herbes méditerranéennes

¼ c. à café de stigmates de safran

115 g/4 oz de petites pâtes

sel et poivre noir moulu

environ 8 moules vivantes dans leur coquille

450 g/1 lb de filet de poisson blanc, sans la
  peau : cabillaud, carrelet ou lotte

Pour la rouille

2 gousses d'ail, écrasées

1 pimiento en conserve, égoutté et haché

1 c. à soupe de chapelure

4 c. à soupe de mayonnaise

tartines de pain grillées, pour servir

1 Faites chauffer l'huile dans une grande casserole et ajoutez l'oignon, l'ail et le poireau. Laissez revenir doucement pendant 5 min. à couvert, en remuant de temps en temps, jusqu'à ce que les ingrédients soient tendres.

2 Incorporez 1 litre/4 tasses d'eau, les tomates, les herbes, le safran et les pâtes. Salez et poivrez avant de poursuivre la cuisson pendant 15 à 20 min.

3 Grattez les moules et arrachez le byssus. Jetez celles qui restent ouvertes quand on tape dessus.

4 Détaillez le poisson en petits morceaux et ajoutez dans la soupe, en posant les moules dessus. Laissez frémir 5 à 10 min. à couvert, jusqu'à ce que les moules s'ouvrent et que le poisson soit cuit à pôint. Jetez les moules fermées.

5 Pour préparer la rouille, écrasez l'ail, le pimiento et la chapelure avec un mortier et un pilon (ou dans un robot). Mélangez la mayonnaise et assaisonnez généreusement.

6 Tartinez le pain de rouille et servez avec la soupe.

PÂTES
AU POISSON
ET AUX
COQUILLAGES

Pâtes au saumon et au persil

Un plat raffiné, rapide et facile à préparer.

INGRÉDIENTS

Pour 4 personnes

450 g/1 lb de filets de saumon, sans la peau

225 g/8 oz de pâtes (penne ou torsades)

175 g/6 oz de tomates-cerises, coupées en deux

150 ml/⅔ tasse de crème fraîche allégée

3 c. à soupe de persil, finement ciselé

zeste de ½ orange, finement râpé

sel et poivre noir moulu

1 Détaillez le saumon en petits morceaux, disposez sur un plat résistant au feu et couvrez de papier aluminium.

2 Portez à ébullition une grande casserole d'eau salée, jetez les pâtes dedans et faites bouillir de nouveau. Posez dessus le plat de saumon et laissez frémir 10 à 12 min., jusqu'à ce que les pâtes et le saumon soient cuits.

3 Égouttez les pâtes avant de les ajouter au saumon et aux tomates. Séparément, mélangez la crème fraîche, le persil, le zeste d'orange et le poivre, puis incorporez à la préparation et servez chaud ou froid.

Tagliatelles aux moules et au safran

Les moules préparées avec une sauce au safran et à la crème fraîche accompagnent ici des tagliatelles, mais elles peuvent être servies avec n'importe quelles pâtes.

INGRÉDIENTS

Pour 4 personnes

1,750 kg/4 à 4 ½ lb de moules vivantes

150 ml/⅔ tasse de vin blanc sec

2 échalotes, hachées

350 g/12 oz de tagliatelles

2 c. à soupe de beurre

2 gousses d'ail, écrasées

250 ml/1 tasse de crème fraîche épaisse

1 bonne pincée de stigmates de safran

1 jaune d'œuf

sel et poivre noir moulu

2 c. à soupe de persil frais, ciselé,
   pour la décoration

1 Grattez soigneusement les moules sous l'eau froide. Retirez le byssus et jetez celles qui restent ouvertes.

2 Mettez les moules dans une sauteuse avec le vin et les échalotes. Couvrez et faites cuire 5 à 8 min. à feu vif, en secouant de temps en temps, jusqu'à ce que les moules s'ouvrent. Égouttez et réservez le liquide. Jetez les moules fermées. Retirez les coquilles (laissez quelques moules entières pour la décoration) et gardez au chaud.

4 Faites cuire les tagliatelles *al dente*, pendant 10 min., dans une grande quantité d'eau bouillante salée.

6 Égouttez les tagliatelles avant de les répartir dans des assiettes chaudes. Versez la sauce dessus et saupoudrez de persil. Décorez avec les moules dans leur coquille et servez aussitôt.

3 Portez à ébullition le jus de cuisson réservé, puis réduisez de moitié et filtrez.

5 Faites revenir l'ail 1 min. dans le beurre fondu. Ajoutez le jus des moules, la crème fraîche et le safran. Faites chauffer à feu doux, jusqu'à ce que la sauce épaississe légèrement. Incorporez hors du feu le jaune d'œuf, les moules décortiquées. Assaisonnez.

Spaghettis aux tomates et aux palourdes

Pour confectionner cette sauce délicate, vous pouvez remplacer les palourdes par des coques, ou même des moules. Mais évitez à tout prix les coquillages conservés dans le vinaigre.

INGRÉDIENTS

Pour 4 personnes

900 g/2 lb de petites palourdes dans leur coquille, ou 800 g/28 oz de palourdes en saumure, égouttées

6 c. à soupe d'huile d'olive

2 gousses d'ail, écrasées

500 g/1 ¼ lb de tomates concassées en conserve

3 c. à soupe de persil frais, ciselé

sel et poivre noir moulu

450 g/1 lb de spaghettis

1 Plongez les palourdes vivantes dans un saladier d'eau froide et rincez-les plusieurs fois pour les débarrasser du sable. Égouttez-les soigneusement.

2 Mettez les palourdes dans l'huile chaude, dans une casserole. Remuez à feu vif, jusqu'à ce qu'elles s'ouvrent. Jetez celles qui restent fermées. Transférez dans un saladier avec une écumoire et réservez.

3 Réduisez presque entièrement le jus de cuisson en faisant bouillir à feu vif. Ajoutez l'ail et faites dorer. Incorporez les tomates, portez à ébullition et poursuivez la cuisson pendant 3 à 4 min. Mélangez les palourdes, la moitié du persil et faites chauffer, puis assaisonnez.

4 Faites cuire les pâtes *al dente*, dans une grande quantité d'eau bouillante salée, selon les instructions indiquées sur le paquet. Égouttez soigneusement et dressez sur un plat de service chaud. Versez la sauce dessus, puis saupoudrez avec le reste de persil.

Spaghettis aux palourdes

Dans cette préparation, l'aneth frais peut remplacer avantageusement le persil.

INGRÉDIENTS

Pour 4 personnes

24 palourdes dans leur coquille, nettoyées

250 ml/1 tasse d'eau

120 ml/½ tasse de vin blanc sec

450 g/1 lb de spaghettis

5 c. à soupe d'huile d'olive

2 gousses d'ail, émincées

3 c. à soupe de persil frais, ciselé

sel et poivre noir moulu

1 Rincez les palourdes soigneusement sous l'eau froide, puis égouttez. Mettez dans une grande casserole avec l'eau et le vin, et portez à ébullition. Laissez 6 à 8 min. sur le feu, à couvert, jusqu'à ce que les palourdes s'ouvrent.

2 Jetez celles qui restent fermées. Séparez la chair de la coquille et hachez éventuellement.

3 Filtrez le jus de cuisson à travers une mousseline, puis faites bouillir rapidement dans une petite casserole pour qu'il réduise de moitié. Réservez.

4 Faites cuire les spaghettis *al dente*, dans une grande quantité d'eau bouillante salée, selon les instructions indiquées sur le paquet.

5 Pendant ce temps, dans une grande poêle, faites revenir l'ail 2 à 3 min. dans l'huile chaude, sans laisser dorer. Ajoutez le jus des palourdes et le persil, puis laissez à feu doux, jusqu'à ce que les spaghettis soient prêts.

6 Égouttez les spaghettis avant de les mettre dans la poêle. Ajoutez les palourdes et remuez pendant 3 à 4 min. à feu moyen, pour enrober les spaghettis de sauce et faire chauffer les palourdes.

7 Salez, poivrez et servez aussitôt dans des assiettes chaudes.

Pâtes au thon, aux câpres et aux anchois

Cette sauce piquante peut être confectionnée sans tomates. Il suffit de faire revenir l'huile, d'ajouter les autres ingrédients et de faire chauffer doucement avant de mélanger aux pâtes.

INGRÉDIENTS

Pour 4 personnes

400 g/14 oz de thon à l'huile, en conserve

2 c. à soupe d'huile d'olive

2 gousses d'ail, écrasées

800 g/1 ¾ lb de tomates concassées, en conserve

6 filets d'anchois en conserve, égouttés

2 c. à soupe de câpres au vinaigre, égouttées

2 c. à soupe de basilic frais, ciselé

sel et poivre noir moulu

450 g/1 lb de rigatoni, penne ou garganelle

basilic frais, pour la décoration

1 Versez l'huile de la boîte de thon dans une grande casserole, ajoutez l'huile d'olive et faites chauffer doucement, jusqu'à ce que le mélange ne crépite plus.

2 Faites dorer l'ail dans l'huile. Incorporez les tomates et laissez frémir 25 min.

3 Effeuillez le thon, puis coupez les anchois en deux. Mélangez à la sauce avec les câpres et le basilic. Assaisonnez généreusement.

4 Faites cuire les pâtes *al dente*, dans une grande quantité d'eau bouillante salée, selon les instructions indiquées sur le paquet. Égouttez soigneusement et mélangez à la sauce. Décorez de basilic frais.

Nouilles aux crevettes et au citron

*Les crevettes rehaussent cette prépara-
tion de leur saveur et de leur couleur.*

INGRÉDIENTS

Pour 4 personnes

2 paquets de nouilles chinoises aux œufs

1 c. à soupe d'huile de tournesol

2 bâtons de céleri, détaillés en bâtonnets

2 gousses d'ail, écrasées

4 petits oignons, émincés

2 carottes, coupées en bâtonnets

1 morceau de concombre de 7,5 cm/3 po,
   coupé en bâtonnets

115 g/4 oz de crevettes entières

1 citron

2 c. à soupe de jus de citron

1 c. à café de Maïzena

4 à 5 c. à soupe de court-bouillon

115 g/1 tasse de crevettes, décortiquées

sel et poivre noir moulu

quelques branches d'aneth, pour la décoration

1 Plongez les nouilles dans l'eau
bouillante et laissez tremper
comme indiqué sur le paquet. Pendant ce temps, faites revenir le céleri,
l'ail, les oignons et les carottes 2 à
3 min. dans l'huile chaude.

2 Ajoutez le concombre, les crevettes entières, et poursuivez la
cuisson pendant 2 à 3 min. Retirez le
zeste du citron et détaillez en fines
lanières avant de laisser 1 min. dans
l'eau bouillante.

3 Délayez la Maïzena dans le jus de
citron et le bouillon, puis ajoutez
dans la préparation. Portez doucement à ébullition, en remuant, et
laissez chauffer 1 min.

4 Incorporez les crevettes décortiquées, le zeste de citron égoutté,
puis assaisonnez. Égouttez les nouilles
et servez avec les crevettes, décoré
d'aneth.

ASTUCE

Ces nouilles peuvent se cuisiner
à la poêle. Faites cuire comme
indiqué ci-dessus. Égouttez sur du
papier absorbant, puis faites
frire en plusieurs fois à la poêle,
jusqu'à ce qu'elles soient dorées
et croustillantes.

Conchiglie aux fruits de mer et aux épinards

De grosses pâtes (environ 4 cm/ 1½ po de longueur) sont nécessaires pour préparer ce plat.

INGRÉDIENTS

Pour 4 personnes

1 c. à soupe de margarine

8 petits oignons, finement émincés

6 tomates

32 grosses pâtes

225 g/1 tasse de fromage frais allégé

6 c. à soupe de lait écrémé

sel et poivre noir moulu

1 pincée de noix muscade, fraîchement râpée

225 g/2 tasses de crevettes

175 g/6 oz de chair de crabe en conserve,
      égouttée et effeuillée

115 g/4 oz d'épinards surgelés hachés,
      décongelés et égouttés

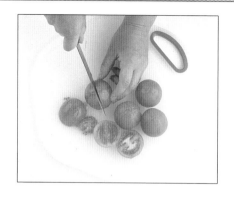

2 Faites une entaille à la base des tomates, laissez-les 45 secondes dans l'eau bouillante, puis plongez dans l'eau froide. Pelez les tomates. Coupez-les en deux, retirez les graines et le cœur avant de hacher grossièrement la chair.

5 Ajoutez les oignons, les tomates, les crevettes et le crabe. Mélangez intimement. Répartissez la préparation dans les pâtes, puis disposez en une seule couche dans un plat à four. Couvrez de papier aluminium et faites cuire 10 min. dans le four préchauffé.

1 Préchauffez le four à 150 °C/300 °F/ th. 2. Faites revenir les oignons pendant 3 à 4 min. dans la margarine fondue.

3 Faites cuire les pâtes *al dente*, pendant environ 10 min., dans une grande casserole d'eau bouillante salée. Égouttez soigneusement.

6 Incorporez les épinards dans le reste de sauce. Portez à ébullition et laissez frémir 1 min., en remuant sans arrêt. Versez sur les pâtes et servez chaud.

4 Mélangez le fromage frais et le lait dans une casserole. Assaisonnez avec le sel, le poivre et la noix muscade. Versez 2 c. à soupe de cette sauce dans un saladier.

Papillons au saumon fumé et à l'aneth

Les Italiens apprécient beaucoup les pâtes au saumon fumé, comme avec cette sauce délicate, rapide à préparer.

INGRÉDIENTS

Pour 4 personnes

6 petits oignons

4 c. à soupe de beurre

6 c. à soupe de vin blanc sec ou de vermouth

450 ml/1 ¾ tasse de crème fraîche épaisse

sel et poivre noir moulu

noix muscade, fraîchement râpée

225 g/8 oz de saumon fumé

2 c. à soupe d'aneth frais, ciselé,
    ou 1 c. à soupe d'aneth séché

jus de citron

450 g/1 lb de papillons

1 Émincez finement les oignons avant de les faire blondir pendant 1 min. dans le beurre fondu.

2 Versez le vin ou le vermouth et faites réduire à feu vif pour obtenir 2 c. à soupe de sauce. Incorporez la crème, le sel, le poivre et la noix muscade. Portez à ébullition et laissez frémir 2 à 3 min., jusqu'à ce que la sauce épaississe légèrement.

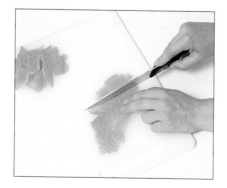

3 Détaillez le saumon en dés de 2,5 cm/1 po et mélangez à la sauce avec l'aneth. Arrosez avec un filet de citron. Gardez la sauce au chaud.

4 Faites cuire les pâtes *al dente*, dans une grande quantité d'eau bouillante salée, selon les instructions indiquées sur le paquet. Égouttez bien. Mélangez les pâtes avec la sauce et servez aussitôt.

Spaghettis aux fruits de mer

Pour un dîner de fête, voici une sauce raffinée, à servir généreusement à vos convives.

INGRÉDIENTS

Pour 4 personnes

4 c. à soupe de beurre

2 échalotes, hachées

2 gousses d'ail, écrasées

350 g/12 oz de spaghettis

2 c. à soupe de basilic frais, finement ciselé

300 ml/1 ¼ tasse de vin blanc sec

450 g/1 lb de moules, grattées

115 g/4 oz de calmars, lavés

1 c. à café de piment moulu

350 g/12 oz de crevettes crues, décortiquées

300 ml/1 ¼ tasse de crème fraîche

sel et poivre noir moulu

50 g/⅓ tasse de parmesan, finement râpé

persil plat, ciselé, pour la décoration

couvrez et laissez frémir 5 min., jusqu'à ce que toutes les moules soient ouvertes. Jetez celles qui restent fermées. Transférez les moules sur une assiette avec une écumoire, retirez la chair et remettez dans la poêle. Gardez quelques moules dans leur coquille pour la décoration.

5 Pendant ce temps, détaillez les calmars en minces anneaux. Faites revenir le reste d'échalote et d'ail 5 min. dans l'autre moitié de beurre fondu.

6 Ajoutez le reste de basilic, les calmars, le piment, les crevettes, et remuez pendant 5 min., jusqu'à ce que les crevettes deviennent roses et tendres.

7 Incorporez la préparation aux moules dans celle aux crevettes et portez à ébullition. Versez la crème fraîche et assaisonnez. Laissez frémir 1 min.

8 Égouttez les pâtes soigneusement avant de les mélanger à la sauce et au parmesan. Servez aussitôt, décoré de persil et de moules dans leur coquille.

1 Faites revenir dans une poêle 1 échalote et 1 gousse d'ail pendant 5 min. dans la moitié du beurre fondu.

2 Faites cuire les pâtes *al dente*, dans une grande casserole d'eau bouillante salée, selon les instructions indiquées sur le paquet.

3 Incorporez dans la poêle la moitié du basilic et le vin, puis portez à ébullition.

4 Jetez les moules qui restent ouvertes lorsqu'on tape dessus avec un couteau. Ajoutez les autres,

Pâtes aux épinards et aux anchois

Cette préparation, à servir comme entrée ou comme plat unique, peut être enrichie par la saveur sucrée des raisins secs.

INGRÉDIENTS

Pour 4 personnes

900 g/2 lb d'épinards frais ou 500 g/1 ¼ lb
   d'épinards en branches surgelés, décongelés

450 g/1 lb de cheveux d'ange

sel

4 c. à soupe d'huile d'olive

3 c. à soupe de pignons de pin

2 gousses d'ail

6 filets d'anchois en conserve, égouttés
   et hachés, ou des anchois entiers, rincés,
   désossés et hachés

beurre

1 Si vous utilisez des épinards frais, lavez-les soigneusement et coupez les tiges. Égouttez-les bien avant de les mettre dans une grande casserole. Couvrez et faites cuire à feu vif, en secouant la casserole de temps en temps, jusqu'à ce que les épinards soient flétris, mais encore verts. Égouttez.

2 Faites cuire les pâtes *al dente*, dans une grande quantité d'eau bouillante salée, selon les instructions indiquées sur le paquet.

3 Faites dorer les pignons de pin dans l'huile chaude. Retirez avec une écumoire, puis faites blondir l'ail dans l'huile. Ajoutez les anchois.

4 Mélangez les épinards et poursuivez la cuisson pendant 2 à 3 min. Incorporez les pignons de pin. Égouttez les pâtes, beurrez légèrement et dressez dans un plat chaud. Nappez de sauce chaude et séparez les pâtes avec une fourchette avant de servir.

Tagliatelles au haddock et à l'avocat

*Pensez à commencer cette prépara-
tion la veille, car le haddock doit
mariner toute la nuit.*

Pour 4 personnes

350 g/12 oz de filets de haddock frais, sans la peau

½ c. à café de cumin moulu,
   de coriandre moulue et de curcuma

sel et poivre noir moulu

150 ml/⅔ tasse de fromage frais

150 ml/⅔ tasse de crème fraîche épaisse

1 c. à soupe de jus de citron

2 c. à soupe de beurre

1 oignon, émincé

1 c. à soupe de farine

150 ml/⅔ tasse de court-bouillon

350 g/12 oz de tagliatelles

1 avocat pelé, dénoyauté et coupé en dés

2 tomates, épépinées et concassées

romarin frais, pour la décoration

1 Détaillez soigneusement le haddock en petits morceaux.

2 Mélangez les épices, l'assaisonnement, le fromage frais, la crème
et le jus de citron.

3 Enrobez le haddock de cette préparation. Couvrez et laissez mariner toute la nuit.

4 Faites revenir l'oignon pendant
10 min. dans le beurre fondu.
Mélangez la farine, puis le bouillon
jusqu'à obtention d'une consistance
homogène.

5 Ajoutez délicatement la préparation au haddock. Portez à ébullition, en remuant, couvrez et laissez
frémir 30 secondes. Retirez du feu.

6 Pendant ce temps, faites cuire les
pâtes *al dente*, dans une grande
quantité d'eau bouillante salée, selon
les instructions indiquées sur le
paquet.

7 Mélangez l'avocat et les tomates à
la préparation au haddock.

8 Égouttez les pâtes et répartissez-
les dans quatre assiettes. Nappez
de sauce et servez aussitôt, décoré de
romarin.

Cannellonis à la truite fumée

La truite fumée peut s'acheter entière ou en filets. Pour des filets, comptez environ 225 g/8 oz.

INGRÉDIENTS

Pour 4 à 6 personnes

1 gros oignon, finement émincé

1 gousse d'ail, écrasée

4 c. à soupe de bouillon de légumes

800 g/28 oz de tomates concassées en conserve

½ c. à café d'herbes séchées

1 truite fumée d'environ 400 g/14 oz

75 g/¼ tasse de petits pois surgelés, décongelés

75 g/1 ½ tasse de chapelure

sel et poivre noir moulu

16 cannellonis

1 ½ c. à soupe de parmesan, râpé

salade composée, en accompagnement

(facultatif)

Pour la sauce au fromage

2 c. à soupe de margarine

25 g/¼ tasse de farine

350 ml/1 ½ tasse de lait écrémé

noix muscade, fraîchement râpée

1 Dans une grande casserole, faites frémir l'oignon, l'ail et le bouillon 3 min. à couvert. Retirez le couvercle et poursuivez la cuisson, en remuant de temps en temps, jusqu'à ce que le bouillon soit complètement réduit.

2 Ajoutez les tomates et les herbes. Laissez frémir à découvert pendant 10 min., jusqu'à ce que la préparation devienne très épaisse.

3 Pendant ce temps, retirez la peau de la truite avec un couteau pointu. Effeuillez délicatement la chair et ôtez les arêtes. Mélangez le poisson avec la préparation à la tomate, les petits pois, la chapelure, le sel et le poivre.

4 Préchauffez le four à 190 °C/ 375 °F/th. 5. Garnissez les cannellonis avec la préparation et dressez dans un plat à four.

5 Pour préparer la sauce, mélangez la margarine, la farine et le lait dans une casserole, et faites chauffer à feu moyen, en battant sans arrêt, jusqu'à ce que la sauce épaississe. Laissez frissonner 2 à 3 min., sans cesser de remuer. Assaisonnez avec le poivre, le sel et la noix muscade.

6 Versez la sauce sur les cannellonis et saupoudrez de parmesan râpé. Enfournez et faites cuire 35 à 40 min., jusqu'à ce que le dessus soit doré. Vous pouvez servir cette préparation avec une salade composée.

Pâtes aux pétoncles et aux tomates

Le basilic frais enrichit cette sauce de sa saveur caractéristique.

INGRÉDIENTS

Pour 4 personnes

450 g/1 lb de pâtes (fettucine ou linguine)

2 c. à soupe d'huile d'olive

2 gousses d'ail, écrasées

450 g/1 lb de noix de pétoncles, coupées en deux horizontalement

sel et poivre noir moulu

2 c. à soupe de basilic frais, ciselé

Pour la sauce

2 c. à soupe d'huile d'olive

½ oignon, éminçé

1 gousse d'ail, écrasée

½ c. à café de sel

800 g/28 oz de tomates en conserve

4 Pendant ce temps, dans une autre poêle à fond antiadhésif, faites revenir l'ail dans l'huile 30 secondes. Ajoutez les noix de pétoncles avec ½ c. à café de sel et remuez pendant 3 min. à feu vif.

5 Incorporez les pétoncles dans la sauce tomate. Salez, poivrez, mélangez et gardez au chaud.

6 Égouttez les pâtes, rincez sous l'eau chaude et égouttez de nouveau. Dressez sur un grand plat de service. Ajoutez la sauce et le basilic, puis mélangez délicatement. Servez aussitôt.

1 Pour préparer la sauce, faites chauffer l'huile dans une poêle à fond antiadhésif. Faites revenir l'oignon, l'ail et un peu de sel à feu moyen pendant 5 min., en remuant de temps en temps.

2 Ajoutez les tomates avec leur jus, puis écrasez avec une fourchette. Portez à ébullition, réduisez le feu et laissez frémir doucement pendant 15 min. Retirez du feu et réservez.

3 Faites cuire les pâtes *al dente*, dans une grande quantité d'eau bouillante salée, selon les instructions indiquées sur le paquet.

Spaghettis aux fruits de mer

Ce plat est préparé et présenté sous forme de papillotes réalisées avec du papier aluminium ou sulfurisé.

Pour 4 personnes

450 g/1 lb de moules fraîches

120 ml/½ tasse de vin blanc sec

4 c. à soupe d'huile d'olive

2 gousses d'ail, finement hachées

450 g/1 lb de tomates fraîches ou en conserve, pelées et finement concassées

400 g/14 oz de spaghettis ou autres pâtes longues

225 g/2 tasses de crevettes fraîches ou surgelées, décortiquées, sans les veines

2 c. à soupe de persil frais, ciselé

sel et poivre noir moulu

1 Grattez les moules soigneusement sous l'eau froide et enlevez le byssus avec un couteau pointu. Jetez celles qui restent ouvertes lorsqu'on tape dessus. Faites chauffer les moules et le vin dans une grande casserole, jusqu'à ce que les coquillages s'ouvrent.

2 Transférez les moules dans un plat. Jetez celles qui restent fermées. Filtrez le jus de cuisson à travers du papier absorbant et réservez. Préchauffez le four à 150 °C/300 °F/ th. 2.

3 Faites revenir l'ail dans l'huile pendant 1 à 2 min. dans une casserole moyenne. Ajoutez les tomates et faites cuire à feu moyen-vif. Versez 175 ml/¾ tasse du jus de cuisson des moules.

4 Faites cuire les pâtes *al dente*, dans une grande quantité d'eau bouillante salée, selon les instructions indiquées sur le paquet. Juste avant de les égoutter, incorporez les crevettes et le persil dans la sauce à la tomate. Faites chauffer 2 min. et rectifiez si besoin l'assaisonnement. Retirez du feu.

5 Découpez quatre morceaux de papier aluminium ou sulfurisé d'environ 30 × 45 cm/12 × 18 po. Posez chaque feuille dans un plat à four individuel. Mettez les pâtes dans un saladier. Versez la sauce et mélangez intimement. Ajoutez les moules.

6 Répartissez la préparation dans les quatre plats, en froissant les extrémités du papier pour bien fermer les papillotes. Mettez sur une plaque de cuisson et posez au milieu du four. Faites cuire 8 à 10 min. Dressez les papillotes sur des assiettes et servez.

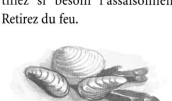

Fusilli aux légumes et aux crevettes

Pensez à commencer cette préparation la veille, car les crevettes doivent mariner toute la nuit.

INGRÉDIENTS

Pour 4 personnes

450 g/4 tasses de crevettes, décortiquées

4 c. à soupe de sauce de soja

3 c. à soupe d'huile d'olive

350 g/12 oz de spaghettis torsadés
(fusilli col buco)

1 poivron jaune, évidé, épépiné et détaillé
en lanières

225 g/8 oz de bouquets de brocolis

1 botte de petits oignons, émincés

1 morceau de gingembre frais de 2,5 cm/1 po,
pelé et émincé

1 c. à soupe d'origan frais

2 c. à soupe de xérès sec

1 c. à soupe de Maïzena

300 ml/1 ¼ tasse de court-bouillon

sel et poivre noir moulu

1 Mettez les crevettes dans un saladier. Versez la moitié de la sauce de soja et 2 c. à soupe d'huile d'olive. Couvrez et laissez mariner toute la nuit.

2 Faites cuire les pâtes *al dente*, dans une grande quantité d'eau bouillante salée, selon les instructions indiquées sur le paquet.

3 Dans un wok ou dans une poêle, faites revenir les crevettes pendant 1 min. dans le reste d'huile.

4 Ajoutez le poivron, les brocolis, les oignons, le gingembre, l'origan, et remuez pendant 1 à 2 min.

5 Égouttez les pâtes et gardez au chaud. Délayez la Maïzena dans le xérès, puis ajoutez le court-bouillon et le reste de sauce de soja. Assaisonnez et mélangez intimement.

6 Versez la sauce dans le wok ou dans la poêle, portez à ébullition et remuez pendant 2 min., jusqu'à ce qu'elle épaississe. Nappez les pâtes de sauce et servez.

Lasagnes au thon

INGRÉDIENTS

Pour 6 personnes

1 portion de pâte fraîche, découpée en lasagnes,
    ou 375 g/12 oz de lasagnes sèches,
    sans précuisson

15 g/½ oz de beurre

1 petit oignon, finement émincé

1 gousse d'ail, finement hachée

115 g/4 oz de champignons, finement émincés

4 c. à soupe de vin blanc sec (facultatif)

600 ml/2 ½ tasses de sauce blanche

150 ml/⅔ tasse de crème fraîche

3 c. à soupe de persil, ciselé

sel et poivre noir moulu

400 g/14 oz de thon en conserve, égoutté

2 pimientos en conserve, détaillés en lanières

65 g/½ tasse de petits pois surgelés, décongelés

115 g/4 oz de mozzarella, râpée

2 c. à soupe de parmesan, fraîchement râpé

1 Faites cuire les lasagnes fraîches en plusieurs fois dans une grande casserole d'eau bouillante salée, jusqu'à ce qu'elles soient presque tendres. Ou laissez tremper les lasagnes sèches 3 à 5 min. dans de l'eau chaude.

2 Mettez les lasagnes dans une passoire et rincez sous l'eau froide. Laissez égoutter sur un torchon.

3 Préchauffez le four à 180 °C/350 °F/ th. 4. Faites revenir l'oignon dans le beurre fondu.

4 Ajoutez l'ail et les champignons et faites cuire, en remuant régulièrement. Versez le vin et faites bouillir 1 min. Incorporez la sauce blanche, la crème et le persil, puis assaisonnez.

5 Nappez avec une mince couche de sauce le fond d'un plat à four de 30 × 23 cm/12 × 9 po, puis couvrez avec une couche de lasagnes.

6 Effeuillez le thon. Répartissez la moitié du thon, du pimiento, des petits pois et de la mozzarella sur les lasagnes. Versez dessus un tiers de sauce, couvrez avec une couche de lasagnes.

7 Continuez à alterner les couches, en terminant par les pâtes et la sauce. Saupoudrez de parmesan. Faites cuire 30 à 40 min. au four, jusqu'à ce que le dessus soit doré.

Pâtes au thon et aux olives

Cette sauce colorée convient parfaitement à des pâtes courtes et épaisses.

INGRÉDIENTS

Pour 4 personnes

350 g/12 oz de rigatoni

2 c. à soupe d'huile d'olive

1 oignon, émincé

2 gousses d'ail, écrasées

400 g/14 oz de tomates concassées en conserve

4 c. à soupe de concentré de tomates

sel et poivre noir

50 g/½ tasse d'olives noires, dénoyautées, coupées en quatre

1 c. à soupe d'origan frais, effeuillé

225 g/8 oz de thon à l'huile en conserve, égoutté

½ c. à café de purée d'anchois

1 c. à soupe de câpres, rincées sous l'eau

115 g/1 tasse de gruyère, râpé

3 c. à soupe de chapelure

persil plat, pour la décoration

1 Faites cuire les pâtes *al dente*, dans une grande quantité d'eau bouillante salée, selon les instructions indiquées sur le paquet.

2 Faites revenir l'ail et l'oignon pendant 10 min. dans l'huile chaude.

3 Ajoutez les tomates, le concentré de tomates, le sel, le poivre, et portez à ébullition. Laissez frémir doucement 5 min., en remuant de temps en temps.

4 Incorporez les olives, l'origan, le thon effeuillé, la purée d'anchois et les câpres. Versez la préparation dans un saladier.

5 Égouttez les pâtes, mélangez à la sauce et transférez dans un plat à four.

6 Préchauffez le gril et saupoudrez les pâtes de fromage et de chapelure. Faites chauffer 10 min., jusqu'à ce que le fromage soit fondu. Servez aussitôt, décoré de persil plat.

Spaghettis au poisson sauce aigre-douce

Cette sauce se distingue par sa saveur typiquement asiatique.

INGRÉDIENTS

Pour 4 personnes

350 g/12 oz de spaghettis

450 g/1 lb de lotte, sans la peau

225 g/8 oz de courgettes

1 piment vert, évidé et épépiné (facultatif)

1 c. à soupe d'huile d'olive

1 gros oignon, émincé

1 c. à café de curcuma

115 g/1 tasse de petits pois, décongelés si surgelés

2 c. à café de jus de citron

5 c. à soupe de sauce hoisin

150 ml/²⁄₃ tasse d'eau

sel et poivre noir moulu

aneth frais, pour la décoration

1 Faites cuire les pâtes *al dente*, dans une grande quantité d'eau bouillante salée, selon les instructions indiquées sur le paquet.

2 Détaillez le poisson en petits morceaux. Émincez finement les courgettes, puis hachez éventuellement le piment.

3 Faites blondir l'oignon pendant 5 min. dans l'huile chaude et assaisonnez avec le curcuma.

4 Ajoutez le piment, les courgettes, les petits pois, puis faites revenir pendant 5 min. à feu moyen, jusqu'à ce que les légumes soient tendres.

5 Incorporez le poisson, le jus de citron, la sauce hoisin et l'eau. Portez à ébullition, et laissez frémir 5 min. à découvert, jusqu'à ce que le poisson soit cuit. Assaisonnez.

6 Égouttez les pâtes soigneusement et dressez sur un plat de service. Mélangez la sauce avant de servir, décoré d'aneth.

Pappardelle au safran

Une délicieuse préparation, relevée d'une délicate sauce aux coquillages.

INGRÉDIENTS

Pour 4 personnes

1 grosse pincée de stigmates de safran

4 tomates séchées, hachées

1 c. à café de thym frais

12 grosses crevettes entières

225 g/8 oz de petits calmars

225 g/8 oz de filet de lotte

2 à 3 gousses d'ail

2 petits oignons, coupés en quatre

1 petit bulbe de fenouil, paré et émincé

150 ml/⅔ tasse de vin blanc

sel et poivre noir moulu

225 g/8 oz de pappardelle

2 c. à soupe de persil frais, ciselé,
    pour la décoration

1 Mélangez le safran, les tomates et le thym dans un saladier avec 4 c. à soupe d'eau chaude. Laissez tremper 30 min.

2 Lavez les crevettes et décortiquez soigneusement, en laissant la tête et la queue. Retirez le corps des calmars et enlevez la plume. Séparez les tentacules de la tête, puis rincez sous l'eau froide. Enlevez la peau extérieure et détaillez en anneaux de 5 mm/¼ po. Coupez la lotte en dés de 2,5 cm/1 po.

3 Mélangez l'ail, les oignons et le fenouil dans une casserole avec le vin. Couvrez et laissez frémir 5 min.

4 Ajoutez la lotte, le safran, les tomates et le thym avec leur liquide. Faites chauffer 3 min. à couvert. Incorporez ensuite les crevettes et les calmars. Assaisonnez. Couvrez et laissez frissonner 1 à 2 min. (évitez de trop cuire pour que les calmars restent tendres).

5 Faites cuire les pâtes *al dente*, dans une grande quantité d'eau bouillante salée, selon les instructions indiquées sur le paquet. Égouttez soigneusement.

6 Répartissez les pâtes dans quatre assiettes et nappez de sauce. Saupoudrez de persil et servez aussitôt.

Pâtes noires aux noix de saint-jacques

Un plat de pâtes insolite à base de tagliatelles noires.

INGRÉDIENTS

Pour 4 personnes

120 ml/½ tasse de crème fraîche allégée

2 c. à café de moutarde à l'ancienne

2 gousses d'ail, écrasées

2 à 3 c. à soupe de jus de citron

4 c. à soupe de persil frais, ciselé

2 c. à soupe de ciboulette, hachée

sel et poivre noir

350 g/12 oz de tagliatelles noires

12 grosses noix de saint-jacques

4 c. à soupe de vin blanc

150 ml/⅔ tasse de court-bouillon

quartiers de citron et branches de persil,
    pour la décoration

1 Pour préparer la sauce, mélangez dans un saladier la crème fraîche, la moutarde, l'ail, le jus de citron, les herbes et l'assaisonnement.

2 Faites cuire les pâtes *al dente*, dans une grande quantité d'eau bouillante salée, selon les instructions indiquées sur le paquet. Égouttez soigneusement.

3 Coupez les noix de saint-jacques en deux horizontalement, en gardant le corail entier. Faites frissonner le vin blanc et le court-bouillon dans une casserole. Ajoutez les noix de saint-jacques et laissez frémir 3 à 4 min. (pas plus, pour éviter qu'elles ne durcissent).

4 Retirez les noix de saint-jacques. Faites bouillir le liquide pour qu'il réduise de moitié et incorporez la sauce verte. Faites chauffer doucement, remettez les noix de saint-jacques et laissez 1 min. sur feu doux. Versez sur les pâtes et décorez de quartiers de citron et de persil.

Nouilles frites de Singapour

Variables en taille et selon leur contenu en épices, les gâteaux de poisson thaïlandais se vendent dans les supermarchés asiatiques.

INGRÉDIENTS

Pour 4 personnes

175 g/6 oz de nouilles de riz

4 c. à soupe d'huile végétale

½ c. à café de sel

75 g/¾ tasse de crevettes cuites

175 g/6 oz de porc cuit, détaillé en bâtonnets

1 poivron vert, épépiné et détaillé en bâtonnets

½ c. à café de sucre en poudre

2 c. à café de curry en poudre

75 g/3 oz de gâteau de poisson thaïlandais

2 c. à café de sauce de soja

1 Faites tremper les nouilles dans l'eau pendant 10 min., égouttez soigneusement dans une passoire, puis épongez avec du papier absorbant.

2 Versez la moitié de l'huile dans un wok chaud. Ajoutez les nouilles, la moitié du sel, et remuez pendant 2 min. Transférez sur un plat de service et gardez au chaud.

3 Faites revenir les crevettes, le porc, le poivron, le sucre, le curry et le reste de sel pendant 1 min. dans le reste d'huile chaude.

4 Remettez les nouilles dans la poêle et mélangez pendant 2 min. avec le gâteau de poisson. Versez la sauce de soja et servez aussitôt.

Nouilles aux légumes et aux crevettes

Un savoureux plat de nouilles, rehaussé d'avocat et de crevettes.

INGRÉDIENTS

Pour 4 personnes

1 c. à soupe d'huile de tournesol

2 gousses d'ail, écrasées

1 morceau de gingembre de 2,5 cm/1 po, pelé et râpé

3 c. à soupe de sauce de soja

150 ml/⅔ tasse d'eau bouillante

225 g/2 tasses de petits pois, décongelés si surgelés

450 g/1 lb de nouilles de riz

450 g/1 lb d'épinards frais, sans les tiges

2 c. à soupe de beurre de cacahuètes

2 c. à soupe de pâte tahini

150 ml/⅔ tasse de lait

1 avocat mûr, pelé et dénoyauté

cacahuètes grillées et crevettes décortiquées, pour la décoration

1 Mettez l'huile dans un wok chaud. Lorsqu'elle est chaude, faites revenir l'ail et le gingembre pendant 30 secondes. Versez 1 c. à soupe de sauce de soja et l'eau bouillante.

2 Ajoutez les petits pois et les nouilles, et laissez 3 min. sur le feu, puis incorporez les épinards. Retirez les légumes et les nouilles, égouttez et gardez au chaud.

3 Dans le wok, mettez le beurre de cacahuètes, le reste de sauce de soja, la pâte tahini et le lait, puis laissez frémir 1 min.

4 Ajoutez les légumes, les nouilles, l'avocat en tranches, et mélangez. Servez sur des assiettes individuelles. Nappez chaque portion de sauce, puis décorez de cacahuètes et de crevettes.

Pâtes aux crevettes et à la feta

Ce mets associe la fraîcheur des crevettes et la saveur prononcée de la feta, qui peut être remplacée par n'importe quel fromage de chèvre.

INGRÉDIENTS

Pour 4 personnes

450 g/1 lb de crevettes crues, entières

6 petits oignons

225 g/8 oz de feta

4 c. à soupe de beurre

sel et poivre noir moulu

1 petite botte de ciboulette fraîche

450 g/1 lb de penne, garganelle ou rigatoni

ASTUCE

Vous pouvez remplacer les crevettes fraîches par des surgelées que vous ajouterez, décongelées, dans la sauce, à la dernière minute, avec les oignons.

1 Ôtez la tête des crevettes. Décortiquez et jetez la carapace.

4 Mélangez la feta à la préparation aux crevettes et poivrez.

2 Hachez les oignons et, sur une planche à découper, détaillez la feta avec un couteau pointu.

5 Ciselez la ciboulette et ajoutez-en la moitié dans la préparation aux crevettes.

3 Faites fondre le beurre et ajoutez les crevettes. Lorsqu'elles commencent à rosir, incorporez les oignons et faites mijoter 1 min.

6 Faites cuire les pâtes *al dente*, dans une grande quantité d'eau bouillante salée, selon les instructions indiquées sur le paquet. Égouttez bien, dressez sur un plat de service chaud et nappez de sauce. Parsemez de ciboulette et servez.

Tagliatelles au saumon fumé

Un plat qui associe la légèreté du concombre à la saveur du poisson.

INGRÉDIENTS

Pour 4 personnes

350 g/12 oz de tagliatelles

½ concombre

6 c. à soupe de beurre

zeste râpé de 1 orange

2 c. à soupe d'aneth frais, ciselé

300 ml/1 ¼ tasse de crème fraîche liquide

1 c. à soupe de jus d'orange

sel et poivre noir moulu

115 g/4 oz de saumon fumé

1 Faites cuire les pâtes *al dente*, dans une grande quantité d'eau bouillante salée, selon les instructions indiquées sur le paquet.

4 Faites revenir le zeste d'orange et l'aneth dans le beurre fondu. Ajoutez le concombre et laissez cuire 2 min., en remuant.

5 Versez la crème fraîche et le jus d'orange, assaisonnez, puis laissez frémir 1 min.

6 Détaillez le saumon en fines lanières, incorporez dans la sauce et faites chauffer.

7 Égouttez les pâtes soigneusement et mélangez à la sauce. Servez aussitôt.

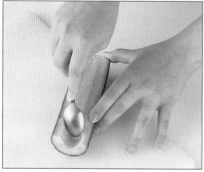

2 Coupez le concombre en deux dans la longueur, puis retirez les graines avec une petite cuillère.

3 Émincez finement le concombre en le posant sur le côté coupé.

Pâtes estivales

Une sauce colorée, riche en saveurs variées, relève ce plat idéal pour l'été.

Pour 4 personnes

115 g/4 oz de haricots verts, coupés en sections
    de 2,5 cm/1 po

350 g/12 oz de spaghettis torsadés
    (fusilli col buco)

2 c. à soupe d'huile d'olive

½ bulbe de fenouil, émincé

1 botte de petits oignons, émincés

115 g/4 oz de tomates-cerises jaunes

115 g/4 oz de tomates-cerises rouges

2 c. à soupe d'aneth frais, ciselé

225 g/2 tasses de crevettes, décortiquées

1 c. à soupe de jus de citron

1 c. à soupe de moutarde à l'ancienne

4 c. à soupe de crème fraîche

sel et poivre noir moulu

aneth frais, pour la décoration

1 Faites cuire les haricots verts 5 min. dans une casserole d'eau bouillante salée, puis égouttez dans une passoire.

2 Faites cuire les pâtes *al dente,* dans une grande quantité d'eau bouillante salée, selon les instructions indiquées sur le paquet.

3 Faites revenir le fenouil et les oignons pendant 5 min. dans l'huile chaude.

4 Ajoutez les tomates-cerises et poursuivez la cuisson 5 min., en remuant de temps en temps.

5 Incorporez l'aneth, les crevettes, et laissez cuire 1 min.

6 Mélangez le jus de citron, la moutarde, la crème fraîche, les haricots, l'assaisonnement, puis faites frémir 1 min.

7 Égouttez soigneusement les pâtes avant de mélanger à la sauce. Servez aussitôt, décoré d'aneth frais.

Spaghettis aux moules

Très prisées dans toutes les régions côtières de l'Italie, les moules s'accommodent parfaitement avec les pâtes. Cette préparation simple doit son succès à la fraîcheur des coquillages.

INGRÉDIENTS

Pour 4 personnes

900 g/2 lb de moules fraîches, dans leur coquille

5 c. à soupe d'huile d'olive

3 gousses d'ail, finement écrasées

4 c. à soupe de persil frais, ciselé

4 c. à soupe de vin blanc

sel et poivre noir moulu

400 g/14 oz de spaghettis

2 Faites chauffer les moules à feu moyen dans une grande casserole, avec une tasse d'eau. Dès qu'elles s'ouvrent, retirez-les une par une avec une écumoire.

5 Poivrez généreusement et salez si besoin.

1 Grattez les moules sous l'eau froide et arrachez le byssus avec un couteau pointu. Jetez celles qui restent ouvertes lorsqu'on tape dessus.

3 Après avoir jeté celles qui restent fermées, filtrez le jus de cuisson à travers du papier absorbant, et réservez.

6 Faites cuire les pâtes *al dente*, dans une grande quantité d'eau bouillante salée, selon les instructions indiquées sur le paquet. Égouttez, puis mélangez à la sauce pendant 3 à 4 min. à feu moyen. Servez aussitôt.

ASTUCE

Les moules fraîches doivent être bien fermées. Si une moule est légèrement ouverte, appuyez dessus pour la fermer. Si elle reste fermée, elle est vivante. Si elle reste ouverte, jetez-la. Les moules fraîches doivent être consommées dès que possible après l'achat. Vous pouvez les garder un peu dans de l'eau froide, au réfrigérateur.

4 Faites revenir l'ail et le persil pendant 2 à 3 min. dans l'huile chaude. Ajoutez les moules, le jus de cuisson et le vin, puis faites chauffer à feu moyen.

Spaghettis aux fruits de mer

La sauce à la tomate qui relève ce plat se dénomme marinara *en italien.*

Pour 4 personnes

3 c. à soupe d'huile d'olive

1 oignon, émincé

1 gousse d'ail, finement hachée

225 g/8 oz de spaghettis

600 ml/2 ½ tasses de passata

1 c. à soupe de concentré de tomates

1 c. à café d'origan

1 feuille de laurier

1 c. à café de sucre en poudre

115 g/1 tasse de petites crevettes cuites, décortiquées (bien rincées, si en conserve)

115 g/1 tasse de grosses crevettes cuites, décortiquées

175 g/1 ½ tasse de chair de palourdes ou de coques cuites (bien rincées, si en conserve)

1 c. à soupe de jus de citron

3 c. à soupe de persil frais, ciselé

2 c. à soupe de beurre

sel et poivre noir moulu

5 grosses crevettes cuites, pour la décoration

1 Dans une sauteuse, faites revenir l'oignon et l'ail pendant 6 à 7 min. dans l'huile chaude.

2 Pendant ce temps, faites cuire les spaghettis *al dente* 10 à 12 min., dans une grande quantité d'eau bouillante salée.

3 Incorporez la passata, le concentré de tomates, l'origan, le laurier et le sucre dans la préparation aux oignons. Assaisonnez, portez à ébullition, puis laissez frémir 2 à 3 min.

4 Ajoutez les fruits de mer, le jus de citron et 2 c. à soupe de persil. Mélangez bien et faites mijoter 6 à 7 min. à couvert.

5 Égouttez les spaghettis et mettez le beurre dans la casserole. Incorporez les spaghettis, remuez soigneusement et assaisonnez.

6 Dressez les spaghettis dans quatre assiettes chaudes et nappez avec la sauce aux fruits de mer. Parsemez le reste de persil, décorez de crevettes entières et servez aussitôt.

Pâtes aux sardines fraîches

*Dans cette recette sicilienne tradi-
tionnelle, les sardines fraîches s'associent à merveille aux raisins secs et
aux pignons de pin.*

INGRÉDIENTS

Pour 4 personnes

3 c. à soupe de raisins de Smyrne

450 g/1 lb de sardines fraîches

6 c. à soupe de chapelure

1 petit bulbe de fenouil

6 c. à soupe d'huile d'olive

1 oignon, très finement émincé

3 c. à soupe de pignons de pin

½ c. à café de graines de fenouil

sel et poivre noir moulu

400 g/14 oz de longes pâtes creuses
    (percatelli, zite ou bucatini)

1 Mettez les raisins 15 min. dans l'eau
chaude. Égouttez, puis essuyez.

2 Nettoyez les sardines. Ouvrez-les
pour ôter l'arête centrale et la
tête. Rincez soigneusement et essuyez
avant de saupoudrer de chapelure.

3 Hachez grossièrement le feuillage
du fenouil et réservez. Prélevez et
lavez les feuilles extérieures. Remplissez une grande casserole d'eau pour
cuire les pâtes. Ajoutez les feuilles de
fenouil et portez à ébullition.

4 Faites blondir l'oignon dans
l'huile chaude, dans une poêle,
puis réservez. Faites ensuite dorer les
sardines des deux côtés, en plusieurs
fois, à feu moyen. Lorsqu'elles sont
toutes cuites, remettez-les dans la
poêle. Ajoutez l'oignon, les raisins,
les pignons et les graines de fenouil.
Salez et poivrez.

5 Versez dans la sauce 4 c. à soupe
de l'eau bouillante destinée à la
cuisson des pâtes. Salez l'eau et faites
cuire les pâtes *al dente*, selon les instructions indiquées sur le paquet.
Égouttez, puis retirez les feuilles de
fenouil. Mélangez les pâtes et la
sauce. Dressez sur quatre assiettes, en
disposant plusieurs sardines sur le
dessus. Saupoudrez avec le feuillage
du fenouil et servez aussitôt.

Spaghettis aux olives et aux câpres

Originaire de Naples, cette sauce épicée se prépare rapidement avec quelques ingrédients de base.

INGRÉDIENTS

Pour 4 personnes

4 c. à soupe d'huile d'olive

2 gousses d'ail, finement hachées

1 petit morceau de piment rouge séché, émietté

50 g/2 oz de filets d'anchois en conserve, hachés

350 g/12 oz de tomates, fraîches ou en conserve, concassées

115 g/1 tasse d'olives noires, dénoyautées

2 c. à soupe de câpres, rincées

1 c. à soupe de concentré de tomates

400 g/14 oz de spaghettis

2 c. à soupe de persil frais, ciselé

1 Faites revenir l'ail et le piment pendant 2 à 3 min. dans l'huile chaude, jusqu'à ce que l'ail soit doré.

2 Ajoutez les anchois et mélangez, en écrasant avec une fourchette.

3 Incorporez les tomates, les olives, les câpres et le concentré de tomates. Remuez soigneusement et faites chauffer à feu moyen.

4 Faites cuire les spaghettis *al dente*, dans une grande quantité d'eau bouillante salée, selon les instructions indiquées sur le paquet. Égouttez bien.

5 Mélangez les spaghettis à la sauce et faites cuire 3 à 4 min. à feu vif, en remuant sans arrêt. Saupoudrez de persil et servez aussitôt.

Linguine aux palourdes et à la tomate

Les Italiens accommodent souvent les pâtes avec une sauce aux palourdes, qu'ils accompagnent ou non de tomates.

INGRÉDIENTS

Pour 4 personnes

900 g/2 lb de palourdes fraîches dans leur coquille, ou 350 g/12 oz de palourdes en conserve, sans le liquide

6 c. à soupe d'huile d'olive

1 gousse d'ail, écrasée

400 g/14 oz de tomates fraîches ou en conserve, finement concassées

350 g/12 oz de linguine

4 c. à soupe de persil frais, ciselé

sel et poivre noir moulu

1 Grattez et rincez les palourdes sous l'eau froide. Faites-les chauffer avec une tasse d'eau, jusqu'à ce qu'elles s'ouvrent. Sortez-les de la casserole et retirez la chair. Mettez dans un saladier.

2 Coupez les grosses palourdes en 2 ou 3 morceaux. Réservez le liquide des coquillages. Jetez ceux qui restent fermés et versez le liquide de cuisson dans celui des coquillages, puis filtrez à travers du papier absorbant pour enlever le sable. Si vous utilisez des palourdes en conserve, gardez le liquide.

3 Faites dorer l'ail dans l'huile chaude, à feu moyen.

4 Jetez l'ail avant d'incorporer les tomates et le liquide des coquillages. Mélangez soigneusement et faites chauffer à feu doux-moyen, jusqu'à ce que la sauce épaississe.

5 Faites cuire les pâtes *al dente*, dans une grande quantité d'eau bouillante salée, selon les instructions indiquées sur le paquet.

6 Une ou 2 min. avant la fin de la cuisson, ajoutez le persil et les palourdes dans la sauce, puis augmentez le feu. Poivrez, et salez si besoin. Égouttez les pâtes avant de les dresser sur un plat de service. Versez la sauce chaude et mélangez bien avant de servir.

REPAS
MINUTE

Spaghettis aux herbes

Les pâtes bien chaudes font ressortir le merveilleux parfum des herbes.

INGRÉDIENTS

Pour 4 personnes

50 g/2 oz d'herbes, mélangées et hachées (persil, basilic, thym)

2 gousses d'ail, écrasées

4 c. à soupe de pignons de pin, grillés

150 ml/⅔ tasse d'huile d'olive

sel et poivre noir moulu

350 g/12 oz de spaghettis

4 c. à soupe de parmesan, fraîchement râpé

feuilles de basilic, pour la décoration

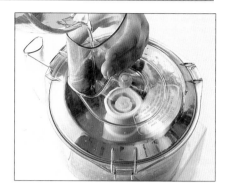

1 Mettez les herbes, l'ail et la moitié des pignons dans un robot. Mixez à vitesse lente en versant l'huile pour obtenir une purée épaisse.

2 Faites cuire les spaghettis *al dente*, pendant 8 min., dans une grande quantité d'eau bouillante salée, puis égouttez.

3 Dressez la préparation aux herbes sur un plat de service chaud, puis ajoutez les spaghettis et le parmesan. Remuez soigneusement. Parsemez le reste de pignons et le basilic avant de servir.

Émincé de bœuf à l'orange et au gingembre

Pour cette recette rapide, dans laquelle le bœuf est cuit à la poêle, une viande tendre s'impose.

INGRÉDIENTS

Pour 4 personnes

450 g/1 lb de rumstek ou de filet de bœuf, détaillé en lanières

jus et zeste finement râpé de 1 orange

1 c. à soupe de sauce de soja

1 c. à café de Maïzena

1 morceau de gingembre de 2,5 cm/1 po, finement émincé

2 c. à café d'huile de sésame

1 grosse carotte, détaillée en fins bâtonnets

2 petits oignons, finement émincés

nouilles de riz, en accompagnement

1 Mettez le bœuf dans un saladier, ajoutez le jus et le zeste d'orange, et laissez mariner au moins 30 min.

2 Égouttez et réservez le liquide, puis mélangez la viande avec la sauce de soja, la Maïzena et le gingembre.

3 Dans une sauteuse ou dans un wok, faites revenir le bœuf pendant 1 min. dans l'huile chaude. Incorporez ensuite la carotte et poursuivez la cuisson pendant 2 à 3 min.

4 Ajoutez les oignons et le liquide, puis faites chauffer en remuant, jusqu'à ce que la préparation épaississe. Servez chaud avec des nouilles de riz.

Fettuccine au jambon et à la crème

Du prosciutto est tout indiqué pour ce mets riche et délicieux, qui constitue une entrée raffinée.

INGRÉDIENTS

Pour 4 personnes

115 g/4 oz de prosciutto ou d'un autre jambon non fumé (cru ou cuit)

50 g/¼ tasse de beurre

2 échalotes, finement émincées

sel et poivre noir moulu

150 ml/⅔ tasse de crème fraîche épaisse

350 g/12 oz de fettuccine

50 g/½ tasse de parmesan, râpé

persil frais, pour la décoration

1 Séparez le gras du maigre du jambon et coupez l'ensemble en petits dés.

2 Faites dorer les échalotes et le jambon gras dans le beurre fondu. Ajoutez le jambon maigre et faites cuire pendant 2 min. Poivrez. Versez la crème, puis laissez à feu doux pendant la cuisson des pâtes.

3 Faites cuire les pâtes *al dente*, dans une grande quantité d'eau bouillante salée, selon les instructions indiquées sur le paquet. Égouttez, dressez sur un plat de service chaud et mélangez à la sauce. Ajoutez le fromage et servez aussitôt, décoré de persil.

Tagliatelles au saumon fumé

Cette sauce délicate compose un plat amusant avec des pâtes de plusieurs couleurs.

INGRÉDIENTS

Pour 4 à 5 personnes

175 g/6 oz de saumon fumé, frais ou congelé

300 ml/1 ¼ tasse de crème fraîche liquide

1 pincée de macis, broyé, ou de noix muscade, râpée

350 g/12 oz de tagliatelles vertes et blanches

sel et poivre noir moulu

3 c. à soupe de ciboulette fraîche, ciselée, pour la décoration

1 Détaillez le saumon en fines lanières de 5 cm/2 po de long. Mettez dans un saladier avec la crème et le macis ou la noix muscade. Mélangez, couvrez et laissez reposer au moins 2 h dans un endroit frais (pas au réfrigérateur).

2 Faites cuire les pâtes *al dente*, dans une grande quantité d'eau bouillante salée, selon les instructions indiquées sur le paquet.

3 Pendant ce temps, faites chauffer doucement la préparation au saumon, sans porter à ébullition.

4 Égouttez les pâtes, versez la sauce dessus et mélangez bien. Assaisonnez et décorez de ciboulette.

Boulettes aux trois viandes

Sans sauce, ces boulettes peuvent être servies à l'apéritif.

INGRÉDIENTS

Pour 6 personnes

2 c. à soupe de beurre ou de margarine

½ petit oignon, émincé

350 g/2 ¼ tasses de bœuf, émincé

115 g/1 tasse de veau, émincé

225 g/2 tasses de porc, émincé

1 œuf

40 g/½ tasse de pommes de terre, écrasées

2 c. à soupe d'aneth ou de persil frais,
   finement ciselé

1 gousse d'ail, écrasée

1 c. à café de sel

½ c. à café de poivre noir

½ c. à café de macis, broyé

¼ c. à café de noix muscade, râpée

40 g/¾ tasse de mie de pain

175 ml/¾ tasse de lait

25 g/¼ tasse de farine, plus 1 c. à soupe

2 c. à soupe d'huile d'olive

175 ml/¾ tasse de lait concentré

nouilles au beurre, en accompagnement

1 Dans une poêle, faites revenir l'oignon 8 à 10 min. à feu doux, dans le beurre ou la margarine fondus. Mettez l'oignon dans un grand saladier avec une écumoire.

2 Ajoutez dans le saladier le bœuf, le veau et le porc, l'œuf, les pommes de terre, l'aneth ou le persil, l'ail, le sel, le poivre, le macis et la noix muscade.

3 Mélangez bien la mie de pain et le lait dans un petit saladier, puis incorporez aux autres ingrédients.

4 Façonnez la préparation sous forme de boulettes d'environ 2,5 cm/1 po de diamètre. Roulez-les dans 25 g/¼ tasse de farine.

5 Faites dorer les boulettes 8 à 10 min. dans l'huile chaude, à feu moyen, en secouant la poêle de temps en temps. Posez les boulettes sur un plat de service avec une écumoire. Couvrez de papier aluminium et gardez au chaud.

6 Incorporez 1 c. à soupe de farine dans le fond de cuisson de la poêle. Ajoutez le lait en mélangeant avec un fouet. Laissez frémir 3 à 4 min. et rectifiez si besoin l'assaisonnement.

7 Versez la sauce sur les boulettes et servez chaud avec les nouilles au beurre.

Spaghettis bolognaise épicés

Un plat populaire, dans lequel la sauce worcestershire et le chorizo apportent une note épicée.

Pour 4 personnes

1 c. à soupe d'huile

225 g/2 tasses de bœuf, émincé

1 oignon, haché

1 c. à café de piment moulu

1 c. à soupe de sauce worcestershire

2 c. à soupe de farine

150 ml/⅔ tasse de bouillon de bœuf

4 saucisses de chorizo

50 g/2 oz d'épis de maïs

200 g/7 oz de tomates concassées en conserve

1 c. à soupe de basilic frais, ciselé

sel et poivre noir moulu

spaghettis cuits

basilic frais, pour la décoration

1 Faites revenir le bœuf pendant 5 min. dans l'huile chaude. Ajoutez l'oignon, le piment, et faites chauffer pendant 3 min.

ASTUCE

Vous pouvez préparer la sauce bolognaise et la garder 2 mois au congélateur.

2 Incorporez la sauce worcestershire, la farine, et poursuivez la cuisson pendant 1 min. avant de verser le bouillon.

3 Détaillez le chorizo en rondelles, puis coupez le maïs en deux dans la longueur.

4 Ajoutez le chorizo, les tomates, le maïs et le basilic. Assaisonnez avant de porter à ébullition. Réduisez le feu et laissez frémir 30 min. Servez avec des spaghettis, décoré de basilic frais.

Tagliolini aux asperges

Les tagliolini sont des nouilles aux œufs très fines, plus délicates que les spaghettis. Ils s'accordent à merveille avec cette sauce à la crème, rehaussée d'asperges fraîches.

INGRÉDIENTS

Pour 4 personnes

450 g/1 lb d'asperges fraîches

feuilles de pâte confectionnée avec 2 œufs,
   ou 350 g/12 oz de tagliolini frais ou d'autres
   nouilles aux œufs

50 g/¼ tasse de beurre

3 petits oignons, finement émincés

3 à 4 feuilles de menthe ou de basilic,
   finement ciselées

150 ml/⅔ tasse de crème fraîche épaisse

sel et poivre noir moulu

50 g/½ tasse de parmesan, fraîchement râpé

1 Épluchez les asperges à partir du bas. Plongez-les dans une casserole d'eau bouillante et faites-les bouillir 4 à 6 min.

2 Retirez les asperges de la casserole et réservez l'eau de cuisson. Séparez les pointes des tiges que vous détaillez en sections de 4 cm/1 ½ po. Réservez.

3 Confectionnez les feuilles de pâte à la main et découpez en fines nouilles, ou faites passer dans la machine à pâtes réglée sur l'épaisseur minimale. Laissez-les se dérouler et sécher pendant 5 à 10 min.

4 Dans une grande poêle, faites revenir les oignons et la menthe ou le basilic pendant 3 à 4 min. dans le beurre fondu. Ajoutez la crème, les asperges, et faites chauffer doucement, sans porter à ébullition. Assaisonnez.

5 Faites bouillir l'eau de cuisson des asperges et salez. Jetez les nouilles dedans et faites cuire, jusqu'à ce qu'elles soient tendres (comptez 30 à 60 secondes si elles sont fraîches). Égouttez soigneusement dans une passoire.

6 Mettez les pâtes dans la poêle avec la sauce, augmentez légèrement le feu et mélangez bien. Ajoutez le parmesan, remuez et servez aussitôt.

Bœuf épicé

Un plat sain et coloré, nourrissant et rapide à préparer.

Pour 4 personnes

1 c. à soupe d'huile

450 g/4 tasses de bœuf, émincé

1 morceau de gingembre de 2,5 cm/1 po, émincé

1 c. à café de cinq-épices chinois en poudre

1 piment rouge, émincé

50 g/2 oz de mange-tout

1 poivron rouge, épépiné et haché

1 carotte, émincée

115 g/4 oz de germes de soja

1 c. à soupe d'huile de sésame

nouilles aux œufs chinoises, cuites

3 Incorporez les mange-tout, le poivron, la carotte, puis poursuivez la cuisson pendant 3 min., sans cesser de remuer.

4 Mélangez enfin les germes de soja et l'huile de sésame, que vous faites chauffer pendant 2 min. Servez aussitôt avec les nouilles.

1 Faites revenir le bœuf pendant 3 min. dans l'huile chaude, en remuant sans arrêt.

2 Ajoutez le gingembre, le cinq-épices, le piment, et faites chauffer pendant 1 min.

Poulet sauce aigre-douce

Rien de plus facile à réaliser que les préparations à la poêle comme celle-ci, originaire de l'Asie du Sud-Est.

INGRÉDIENTS

Pour 4 personnes

275 g/10 oz de nouilles chinoises aux œufs

2 c. à soupe d'huile végétale

3 petits oignons, émincés

1 gousse d'ail, écrasée

1 morceau de gingembre de 2,5 cm/1 po,
    pelé et râpé

1 c. à café de paprika fort

1 c. à café de coriandre moulue

3 blancs de poulet, désossés et émincés

115 g/1 tasse de pois mange-tout, épluchés

115 g/4 oz d'épis de maïs, coupés en deux

225 g/8 oz de germes de soja frais

1 c. à soupe de Maïzena

3 c. à soupe de sauce de soja

3 c. à soupe de jus de citron

1 c. à soupe de sucre en poudre

3 c. à soupe de coriandre fraîche, ciselée,
    ou de feuilles d'oignon, pour la décoration

1 Plongez les nouilles dans une grande quantité d'eau bouillante salée et faites cuire selon les instructions indiquées sur le paquet. Égouttez, couvrez et gardez au chaud.

2 Faites revenir les oignons à feu doux dans l'huile chaude. Ajoutez l'ail, le gingembre, le paprika, la coriandre, le poulet, et faites cuire en remuant pendant 3 à 4 min. Incorporez les mange-tout, le maïs, les germes de soja, et faites chauffer brièvement. Mélangez enfin les nouilles.

3 Mélangez dans un bol la Maïzena, la sauce de soja, le jus de citron et le sucre. Versez dans le wok et laissez frémir pour que la préparation épaississe. Servez décoré de coriandre ou de feuilles d'oignon.

Fusilli au pepperoni et à la tomate

Un plat réconfortant, idéal pour les soirées d'hiver un peu fraîches. Toutes les variétés de saucisses peuvent convenir, mais si vous les utilisez crues, faites-les cuire avec l'oignon.

INGRÉDIENTS

Pour 4 personnes

1 oignon

1 poivron rouge

1 poivron vert

2 c. à soupe d'huile d'olive

800 g/1 ¾ lb de tomates concassées
    en conserve

2 c. à soupe de concentré de tomates

2 c. à café de paprika

175 g/6 oz de pepperoni ou de chorizo

3 c. à soupe de persil frais, ciselé

sel et poivre noir moulu

450 g/1 lb de pâtes torsadées, comme les fusilli

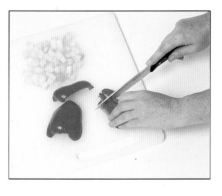

1 Hachez l'oignon. Coupez en deux, évidez et épépinez les poivrons. Détaillez la chair en dés.

2 Faites blondir l'oignon pendant 2 à 3 min. dans l'huile chaude. Ajoutez les poivrons, les tomates, le concentré de tomates, le paprika. Portez à ébullition et laissez frémir 15 à 20 min. à découvert, jusqu'à ce que la préparation épaississe.

3 Détaillez le pepperoni ou le chorizo en rondelles et incorporez à la sauce avec 2 c. à soupe de persil. Salez et poivrez.

4 Faites cuire les pâtes *al dente*, dans une grande quantité d'eau bouillante salée, selon les instructions indiquées sur le paquet. Égouttez soigneusement. Mélangez les pâtes et le reste de persil avec un peu d'huile d'olive. Répartissez dans quatre assiettes chaudes et nappez de sauce.

Farfalle aux crevettes et aux petits pois

Une pointe de safran donne à ce plat une merveilleuse couleur dorée.

INGRÉDIENTS

Pour 4 personnes

3 c. à soupe d'huile d'olive

2 c. à soupe de beurre

2 petits oignons, émincés

350 g/3 tasses de crevettes fraîches ou surgelées,
   décortiquées

225 g/1 tasse de petits pois surgelés, décongelés

400 g/14 oz de farfalle

250 ml/1 tasse de vin blanc sec

quelques stigmates de safran ou 1 pincée
   de safran moulu

sel et poivre noir moulu

2 c. à soupe de fenouil ou d'aneth frais, ciselé,
   pour la décoration

1 Faites revenir les oignons dans l'huile ou le beurre fondus. Ajoutez les crevettes, les petits pois, et faites chauffer pendant 2 à 3 min.

2 Faites cuire les pâtes *al dente*, dans une grande quantité d'eau bouillante salée.

3 Pendant ce temps, incorporez le vin et le safran dans la préparation aux crevettes.

4 Augmentez le feu et faites cuire jusqu'à ce que le vin réduise environ de moitié. Salez et poivrez. Couvrez, puis réduisez le feu.

5 Égouttez les pâtes et ajoutez-les dans la poêle avec la sauce. Remuez à feu vif pendant 2 à 3 min. Saupoudrez de fenouil ou d'aneth et servez aussitôt.

Pâtes aux légumes de printemps

Cette sauce colorée se marie parfaitement avec les légumes printaniers.

INGRÉDIENTS

Pour 6 personnes

1 ou 2 petites carottes nouvelles

2 petits oignons

150 g/5 oz de courgettes

2 tomates

75 g/¾ tasse de petits pois écossés

75 g/3 oz de haricots verts fins

1 poivron jaune

4 c. à soupe d'huile d'olive

2 c. à soupe de beurre

1 gousse d'ail, finement hachée

5 à 6 feuilles de basilic fraîches, ciselées

sel et poivre noir moulu

500 g/1 ¼ lb de petits pâtes nature
   ou de couleur (fusilli, penne ou farfalle)

parmesan, fraîchement râpé

1 Détaillez les légumes en menus morceaux.

2 Faites-les revenir à feu moyen pendant 5 à 6 min. dans l'huile et le beurre chauds, en remuant régulièrement. Assaisonnez avec l'ail, le basilic, le sel et le poivre. Poursuivez la cuisson pendant 5 à 8 min. à couvert, jusqu'à ce que les légumes soient tendres.

3 Pendant ce temps, faites cuire les pâtes *al dente*, dans une grande quantité d'eau bouillante salée, selon les instructions indiquées sur le paquet. Réservez une tasse de l'eau de cuisson avant d'égoutter.

4 Mettez les pâtes dans la casserole avec la sauce et mélangez bien. Si la sauce paraît trop sèche, mouillez avec quelques cuillerées à soupe de l'eau des pâtes. Servez le parmesan séparément.

Tagliatelles au prosciutto et au parmesan

Ce plat simple et rapide à préparer doit son succès à la qualité des ingrédients.

Pour 4 personnes

115 g/4 oz de prosciutto

450 g/1 lb de tagliatelles

6 c. à soupe de beurre

50 g/½ tasse de parmesan, fraîchement râpé

sel et poivre noir moulu

quelques feuilles de sauge fraîche,
    pour la décoration

1 Détaillez le prosciutto en lanières de la même largeur que les tagliatelles. Faites cuire les pâtes *al dente*, dans une grande quantité d'eau bouillante salée.

2 Pendant ce temps, faites chauffer le prosciutto à feu très doux dans le beurre fondu.

3 Égouttez les tagliatelles dans une passoire et dressez sur un plat de service chaud.

4 Saupoudrez de parmesan avant d'ajouter le prosciutto. Poivrez et décorez de feuilles de sauge.

Capellini à la roquette et aux mange-tout

La saveur caractéristique de la roquette complète parfaitement ce plat de pâtes, léger et nourrissant à la fois.

INGRÉDIENTS

Pour 4 personnes

250 g/9 oz de capellini ou de cheveux d'ange

225 g/8 oz de mange-tout

75 g/3 oz de feuilles de roquette

50 g/¼ tasse de pignons de pin, grillés

2 c. à soupe de parmesan, finement râpé (facultatif)

2 c. à soupe d'huile d'olive (facultatif)

1 Faites cuire les pâtes *al dente*, dans une grande quantité d'eau bouillante salée, selon les instructions indiquées sur le paquet.

2 Pendant ce temps, épluchez les mange-tout.

3 Dès que les pâtes sont cuites, ajoutez la roquette et les mange-tout, puis égouttez.

4 Mélangez les pâtes avec les pignons, le parmesan et éventuellement l'huile d'olive. Servez aussitôt.

Tagliatelles aux tomates séchées

Pour confectionner une sauce allé-gée, choisissez des tomates séchées nature plutôt que celles conservées dans l'huile.

Pour 4 personnes

1 gousse d'ail, écrasée

1 bâton de céleri, finement émincé

115 g/1 tasse de tomates séchées, finement hachées

90 ml/à peine ½ tasse de vin rouge

8 tomates-olivettes

sel et poivre noir moulu

350 g/12 oz de tagliatelles

3 Ajoutez les olivettes dans la cas-serole et poursuivez la cuisson pendant 5 min. Assaisonnez.

4 Pendant ce temps, faites cuire les tagliatelles *al dente*, dans une grande quantité d'eau bouillante salée. Égouttez. Mélangez avec la moitié de la sauce et servez sur des assiettes chaudes, avec le reste de sauce à part.

1 Mettez l'ail, le céleri, les tomates séchées et le vin dans une grande casserole. Faites mijoter 15 min. à feu doux.

2 Entaillez la base des tomates-olivettes, ébouillantez pendant 1 min., puis plongez dans l'eau froide. Pelez et coupez en deux les tomates, retirez les graines et le cœur, puis hachez grossièrement la chair.

Pâtes express à la sauce persillée

*Cette sauce rafraîchissante séduira
les palais les plus blasés.*

INGRÉDIENTS

Pour 4 personnes

450 g/1 lb de pâtes

75 g/¾ tasse d'amandes, entières

50 g/½ tasse d'amandes, effilées

25 g/¼ tasse de parmesan, fraîchement râpé

Pour la sauce

40 g/1 ½ oz de persil frais

2 gousses d'ail, écrasées

3 c. à soupe d'huile d'olive

3 c. à soupe de jus de citron

1 c. à café de sucre en poudre

1 pincée de sel

250 ml/1 tasse d'eau bouillante

2 Mixez le persil finement dans un robot. Ajoutez les amandes entières et réduisez en purée. Incorporez l'ail, l'huile, le jus de citron, le sucre, le sel, l'eau, et mixez de nouveau pour obtenir une sauce.

3 Égouttez les pâtes, puis mélangez avec la moitié de la sauce. (Vous pouvez conserver le reste 10 jours dans un récipient fermé, au réfrigérateur.) Saupoudrez de parmesan et d'amandes effilées.

1 Faites cuire les pâtes *al dente*, dans une grande quantité d'eau bouillante salée, selon les instructions indiquées sur le paquet. Faites griller séparément les amandes entières et effilées à four moyen. Réservez les amandes effilées.

Pâtes aux rognons

Vous pouvez demander à votre bou-cher de préparer les rognons à votre place.

INGRÉDIENTS

Pour 4 personnes

8 à 10 rognons d'agneau

1 c. à soupe d'huile de tournesol

2 c. à soupe de beurre

2 c. à café de paprika

1 à 2 c. à café de moutarde à l'ancienne

sel

225 g/8 oz de pâtes fraîches

persil frais ciselé, pour la décoration

2 Faites revenir les rognons pen-dant 2 min. dans l'huile et le beurre chauds, en remuant réguliè-rement. Mélangez le paprika et la moutarde avec un peu de sel, et ajoutez dans la poêle.

3 Poursuivez la cuisson des rognons pendant 3 à 4 min., en arrosant régulièrement.

1 Coupez les rognons en deux et retirez la partie blanche avec des ciseaux. Détaillez les plus gros en petits morceaux.

4 Faites cuire les pâtes *al dente*, pendant 10 à 12 min., selon les instructions indiquées sur le paquet. Servez les rognons et la sauce sur les pâtes, parsemées de persil.

Gratin de pâtes

Cette préparation, qui fera l'unani-mité parmi les enfants, est tout indi-quée pour nourrir une grande tablée.

INGRÉDIENTS

Pour 4 à 6 personnes

225 g/8 oz de fusilli ou conchiglie

115 g/⅔ tasse de jambon, bœuf ou dinde, haché

350 g/12 oz de légumes variés, presque cuits :
  carottes, chou-fleur, haricots verts

1 à 2 c. à café d'huile

Pour la sauce au fromage

2 c. à soupe de beurre

2 c. à soupe de farine

300 ml/1 ¼ tasse de lait

175 g/1 ½ tasse de gruyère, râpé

1 à 2 c. à café de moutarde

sel et poivre noir moulu

1 Faites cuire les pâtes *al dente*, dans une grande quantité d'eau bouillante salée, selon les instruc-tions indiquées sur le paquet. Égout-tez et mettez dans un plat à four avec la viande, les légumes et l'huile.

2 Faites fondre le beurre, ajoutez la farine et remuez pendant 1 min. Versez le lait progressivement hors du feu. Portez à ébullition, en tour-nant, et faites chauffer 2 min. Incor-porez ensuite la moitié du fromage, la moutarde et l'assaisonnement.

3 Nappez la viande et les légumes de sauce. Saupoudrez avec le reste de fromage et faites dorer au four.

Nouilles à l'orientale

Pour une note asiatique, remplacez les tagliarini par des nouilles chinoises.

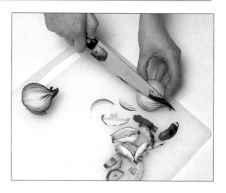

Pour 6 personnes

500 g/1 ¼ lb de tagliarini fins

1 oignon rouge

115 g/4 oz de champignons shiitake

3 c. à soupe d'huile de sésame

3 c. à soupe de sauce de soja

1 c. à soupe de vinaigre balsamique

2 c. à café de sucre en poudre

1 c. à café de sel

feuilles de céleri, pour la décoration

1 Faites cuire les tagliarini *al dente* dans une grande quantité d'eau bouillante salée, selon les instructions indiquées sur le paquet.

2 Émincez finement l'oignon et les champignons avec un couteau pointu.

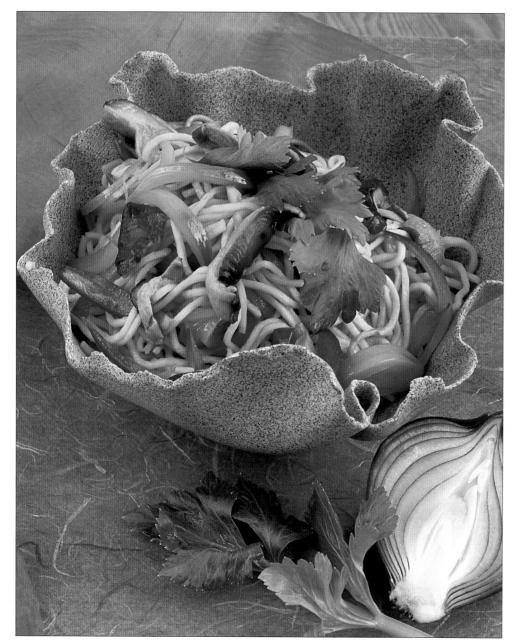

3 Faites chauffer 1 c. à soupe d'huile dans un wok chaud, puis faites revenir l'oignon et les champignons pendant 2 min.

4 Égouttez les tagliarini et mettez dans le wok avec la sauce de soja, le vinaigre balsamique, le sucre et le sel. Remuez pendant 1 min., puis versez le reste d'huile et servez décoré de feuilles de céleri.

Pâtes aux légumes frits

Dans ce mets d'inspiration chinoise, facile à préparer, les nouilles chinoises sont remplacées par des pâtes.

INGRÉDIENTS

Pour 4 personnes

1 carotte

175 g/6 oz de petites courgettes

175 g/6 oz de haricots verts

175 g/6 oz d'épis de maïs

450 g/1 lb de pâtes longues (tagliatelles)

sel

2 c. à soupe d'huile de maïs

1 morceau de gingembre de 1 cm/½ po,
 pelé et finement haché

2 gousses d'ail, finement écrasées

6 c. à soupe de sauce de soja

6 petits oignons, avec les feuilles détaillées
 en sections de 2,5 cm/1 po

2 c. à soupe de xérès sec

1 c. à café de graines de sésame,
 pour la décoration

1 Coupez la carotte et les courgettes en rondelles, les haricots en morceaux, les épis de maïs en deux.

2 Faites cuire les pâtes *al dente*, dans une grande quantité d'eau bouillante salée, selon les instructions indiquées sur le paquet. Égouttez, puis rincez sous l'eau chaude. Mélangez avec un peu d'huile.

3 Faites revenir le gingembre et l'ail 30 secondes dans 2 c. à soupe d'huile chaude, puis ajoutez les morceaux de carotte, de haricots et de courgettes.

4 Remuez pendant 3 à 4 min., avant de verser la sauce de soja. Mélangez pendant 2 min., puis incorporez les oignons, le xérès, les pâtes, et faites chauffer pendant 1 min. Saupoudrez de graines de sésame et servez aussitôt.

Rouleaux de lasagnes

Pour préparer ce plat simple, présenté de manière originale, vous choisirez des lasagnes sans précuisson, de façon à pouvoir les enrouler facilement.

INGRÉDIENTS

Pour 4 personnes

8 à 10 feuilles de lasagnes

225 g/8 oz d'épinards en branches frais, bien lavés

115 g/4 oz de champignons, émincés

115 g/4 oz de mozzarella, finement émincée

Sauce béchamel

50 g/à peine ½ tasse de farine

3 c. à soupe de beurre ou de margarine

600 ml/2 ½ tasses de lait

1 feuille de laurier

sel et poivre noir moulu

noix muscade, fraîchement râpée

parmesan ou pecorino, fraîchement râpé

1 Faites cuire les lasagnes *al dente*, dans une grande quantité d'eau bouillante salée, selon les instructions indiquées sur le paquet. Égouttez et laissez refroidir.

2 Faites cuire les épinards pendant 2 min. dans le minimum d'eau, ajoutez les champignons et poursuivez la cuisson 2 min. encore. Égouttez soigneusement, en pressant tout le liquide, et hachez les épinards grossièrement.

3 Pour la béchamel, mélangez dans une casserole la farine, le beurre ou la margarine et le lait. Portez doucement à ébullition, en remuant jusqu'à ce que la sauce devienne lisse et épaisse. Ajoutez le laurier, laissez frémir 2 min., puis assaisonnez et incorporez la noix muscade.

4 Étalez les feuilles de lasagnes et couvrez avec la sauce béchamel, les épinards, les champignons et la mozzarella. Enroulez chaque feuille, puis disposez dans un plat à four, le côté fermé sur le dessous.

5 Jetez la feuille de laurier avant de napper les pâtes de sauce. Saupoudrez de fromage et faites dorer sous le gril chaud.

VARIANTE

La garniture peut varier à l'infini. Vous pouvez, par exemple, mélanger des légumes que vous faites revenir à la poêle – poivrons, courgettes, aubergines, champignons –, et les accompagner d'une béchamel au fromage comme ci-dessus ou d'une sauce tomate, très rafraîchissante en été.

Sauce bolognaise aux lentilles

Une sauce riche en protéines, idéale pour accompagner les Rouleaux de lasagnes (ci-dessus), garnir les crêpes ou compléter des légumes.

INGRÉDIENTS

Pour 6 personnes

1 oignon

2 gousses d'ail, écrasées

2 carottes, râpées grossièrement

2 bâtons de céleri, hachés

3 c. à soupe d'huile d'olive

150 g/⅔ tasse de lentilles rouges

400 g/14 oz de tomates concassées en conserve

3 c. à soupe de concentré de tomates

475 ml/2 tasses de bouillon

1 c. à soupe de marjolaine fraîche, hachée, ou 1 c. à café de marjolaine séchée

sel et poivre noir moulu

1 Faites revenir l'oignon, l'ail, les carottes et le céleri pendant 5 min. dans l'huile.

2 Ajoutez les lentilles, les tomates, le concentré de tomates, le bouillon et la marjolaine, puis assaisonnez.

3 Portez à ébullition, couvrez en partie et laissez frémir 20 min., jusqu'à ce que la préparation épaississe. Utilisez cette sauce à votre guise.

Tagliatelles au jambon de Parme et aux asperges

Une sauce insolite, parfaite pour un dîner raffiné.

INGRÉDIENTS

Pour 4 personnes

350 g/12 oz de tagliatelles

2 c. à soupe de beurre

1 c. à soupe d'huile d'olive

25 g/8 oz de pointes d'asperges

1 gousse d'ail, écrasée

115 g/4 oz de jambon de Parme, détaillé en lanières

2 c. à soupe de sauge fraîche, hachée

150 ml/⅔ tasse de crème fraîche liquide

115 g/1 tasse de fromage aux herbes, râpé

115 g/1 tasse de gruyère, râpé

sel et poivre noir moulu

sauge fraîche, pour la décoration

1 Faites cuire les pâtes *al dente*, dans une grande quantité d'eau bouillante salée, selon les instructions indiquées sur le paquet.

2 Faites revenir les pointes d'asperges pendant 5 min. dans le beurre et l'huile fondus, en remuant de temps en temps, jusqu'à ce qu'elles soient presque tendres.

4 Incorporez la sauge et poursuivez la cuisson pendant 1 min.

5 Versez la crème, puis portez la préparation à ébullition.

6 Mélangez les fromages et laissez frémir doucement, en remuant de temps en temps, jusqu'à ce qu'ils fondent. Assaisonnez.

7 Égouttez les pâtes soigneusement et mélangez à la sauce. Servez aussitôt, décoré de feuilles de sauge.

3 Ajoutez l'ail et le jambon, et laissez chauffer 1 min.

Fusilli aux noix et à la crème

Un plat italien traditionnel au goût de noix, à servir avec une salade délicatement assaisonnée.

INGRÉDIENTS

Pour 4 personnes

350 g/12 oz de spaghettis torsadés
    (fusilli col buco)

50 g/½ tasse de cerneaux de noix

2 c. à soupe de beurre

300 ml/1 ¼ tasse de lait

50 g/1 tasse de chapelure

2 c. à soupe de parmesan, fraîchement râpé

1 pincée de noix muscade, fraîchement râpée

sel et poivre noir moulu

branches de romarin, pour la décoration

1 Faites cuire les pâtes *al dente*, dans une grande quantité d'eau bouillante salée, selon les instructions indiquées sur le paquet. Pendant ce temps, préchauffez le gril.

2 Étalez les noix sur la plaque du four et faites griller 5 min., en les retournant.

3 Posez les noix sur un torchon propre et ôtez la peau avant de les hacher grossièrement.

4 Faites fondre le beurre dans le lait.

5 Ajoutez la chapelure et les noix, et remuez doucement pendant 2 min., jusqu'à ce que la préparation épaississe.

6 Incorporez le parmesan, la noix muscade, salez et poivrez.

7 Égouttez les pâtes soigneusement, puis mélangez à la sauce. Servez aussitôt, décoré de romarin.

Cannellonis al forno

Garnie de ricotta, d'oignon et de champignons, une version végétarienne, plus légère que le plat habituel à base de bœuf et de béchamel.

INGRÉDIENTS

Pour 4 à 6 personnes

450 g/1 lb de blancs de poulet cuits, sans os
  et sans peau

225 g/8 oz de champignons

2 gousses d'ail, écrasées

2 c. à soupe de persil frais, ciselé

1 c. à soupe d'estragon frais, haché

1 œuf battu

jus de citron

sel et poivre noir moulu

12 à 18 cannellonis

1 portion de sauce napolitaine

50 g/½ tasse de parmesan, fraîchement râpé

persil frais, pour la décoration

1 Préchauffez le four à 200 °C/400 °F/th. 6. Mixez finement le poulet dans un robot, puis transférez dans un saladier.

2 Mettez les champignons, l'ail, le persil et l'estragon dans le robot et mixez finement.

3 Incorporez la préparation aux champignons dans le poulet avec l'œuf, le jus de citron, le poivre et le sel.

4 Faites cuire les cannellonis dans une grande quantité d'eau bouillante salée, selon les instructions indiquées sur le paquet. Égouttez bien et essuyez sur un torchon propre.

5 Mettez la garniture dans une poche équipée d'une grosse douille et remplissez les cannellonis.

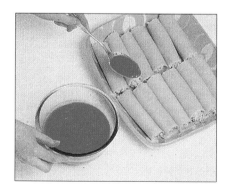

6 Disposez les cannellonis garnis en une seule couche dans un plat à four beurré. Nappez de sauce tomate et saupoudrez de parmesan. Enfournez et faites cuire 30 min., jusqu'à ce que le dessus soit doré. Servez décoré de persil.

Courges farcies

*En automne, les magnifiques cour-
ges, striées de rayures vertes et
jaunes, invitent à la préparation de
plats familiaux nourrissants et peu
coûteux.*

INGRÉDIENTS

Pour 4 à 6 personnes

250 g/9 oz de conchiglie

1,5 à 1,750 kg/3 à 4 ½ lb de courges

1 oignon, émincé

1 poivron, épépiné et haché

1 c. à soupe de gingembre frais, râpé

2 gousses d'ail, écrasées

3 c. à soupe d'huile de tournesol

4 grosses tomates, pelées et concassées

sel et poivre noir moulu

50 g/½ tasse de pignons de pin

1 c. à soupe de basilic frais, ciselé

fromage râpé (facultatif)

1 Préchauffez le four à 190 °C/
375 °F/th. 5. Faites cuire les pâtes
dans une grande quantité d'eau
bouillante salée, selon les instructions indiquées sur le paquet, en
prolongeant légèrement le temps de
cuisson pour qu'elles soient un peu
molles. Égouttez bien et réservez.

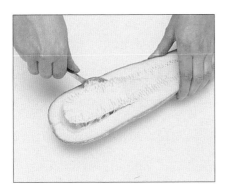

2 Coupez les courges en deux dans
la longueur et retirez les graines.
Enlevez la chair avec une cuillère à
soupe et un couteau pointu, puis
hachez grossièrement.

3 Faites revenir l'oignon, le poivron, le gingembre et l'ail dans
l'huile pendant 5 min., puis ajoutez
la chair des courges, les tomates et
l'assaisonnement. Laissez cuire 10 à
12 min. à couvert, jusqu'à ce que les
légumes soient tendres.

4 Incorporez les pâtes, les pignons
de pin, le basilic, mélangez bien
et réservez.

5 Mettez les moitiés de courges dans
un plat à four, assaisonnez légèrement et versez un peu d'eau au fond
du plat. Couvrez de papier aluminium,
enfournez et faites cuire 15 min.

6 Enlevez le papier, jetez l'eau et
remplissez les pâtes de préparation aux légumes. Couvrez de papier
aluminium et enfournez de nouveau
pour 20 à 25 min.

7 Saupoudrez éventuellement de fromage. Pour servir, retirez le contenu
des courges ou découpez en portions.

Tagliatelles au poulet et aux herbes

*Vous accompagnerez ce plat déli-
cieux d'une salade verte.*

INGRÉDIENTS

Pour 4 personnes

2 c. à soupe d'huile d'olive

1 oignon rouge, coupé en morceaux

350 g/12 oz de tagliatelles

1 gousse d'ail, hachée

350 g/12 oz de poulet, détaillé en dés

300 ml/1 ¼ tasse de vermouth sec

3 c. à soupe d'herbes fraîches, ciselées

150 ml/⅔ tasse de fromage frais

sel et poivre noir moulu

menthe fraîche ciselée, pour la décoration

1 Dans une poêle, faites revenir l'oignon pendant 10 min. dans l'huile chaude.

2 Faites cuire les pâtes *al dente*, dans une grande quantité d'eau bouillante salée, selon les instructions indiquées sur le paquet.

3 Ajoutez l'ail et le poulet dans la poêle, puis remuez pendant 10 min., jusqu'à ce que le poulet soit doré et cuit.

4 Versez le vermouth et faites bouillir rapidement, jusqu'à ce qu'il réduise de moitié.

5 Incorporez les herbes, le fromage frais, l'assaisonnement, puis faites chauffer doucement, sans porter à ébullition.

6 Égouttez les pâtes soigneusement et mélangez avec la sauce. Servez aussitôt, décoré de feuilles de menthe ciselées.

Penne à la saucisse et au parmesan

Dans cette recette, la saucisse épicée se marie au fromage et à la tomate pour composer une sauce succulente.

INGRÉDIENTS

Pour 4 personnes

350 g/12 oz de penne

450 g/1 lb de tomates

2 c. à soupe d'huile d'olive

225 g/8 oz de chorizo, détaillé en rondelles

1 gousse d'ail, écrasée

2 c. à soupe de persil plat, ciselé

zeste râpé de 1 citron

50 g/½ tasse de parmesan, fraîchement râpé

sel et poivre noir moulu

persil plat, finement ciselé, pour la décoration

1 Faites cuire les pâtes *al dente*, dans une grande quantité d'eau bouillante salée, selon les instructions indiquées sur le paquet.

2 Fendez la base des tomates en forme de croix. Ébouillantez pendant 45 secondes, puis plongez 30 secondes dans l'eau froide. Pelez les tomates et hachez grossièrement la chair.

3 Faites dorer le chorizo pendant 5 min. dans l'huile chaude, en remuant.

4 Ajoutez les tomates, l'ail, le persil et le zeste de citron, puis remuez pendant 1 min. à feu doux.

5 Incorporez le parmesan et assaisonnez.

6 Égouttez les pâtes soigneusement et mélangez à la sauce. Servez aussitôt, décoré de persil finement ciselé.

Pâtes au chou-fleur

Dans cette recette, les pâtes cuisent dans l'eau de cuisson du chou-fleur.

INGRÉDIENTS

Pour 6 personnes

1 chou-fleur

475 ml/2 tasses de lait

1 feuille de laurier

50 g/¼ tasse de beurre

50 g/½ tasse de farine

sel et poivre noir moulu

75 g/¾ tasse de parmesan ou de gruyère, fraîchement râpé

500 g/1 ¼ lb de pennoni rigati ou autres pâtes courtes

1 Portez à ébullition une grande casserole d'eau. Lavez soigneusement le chou-fleur et séparez en bouquets. Faites cuire 8 à 10 min., jusqu'à ce qu'ils soient tendres. Retirez le chou-fleur avec une écumoire.

Détaillez en petits morceaux et réservez. Gardez l'eau de cuisson.

2 Préparez une sauce béchamel en faisant chauffer doucement le lait avec la feuille de laurier dans une petite casserole, sans porter à ébullition. Faites fondre le beurre dans une casserole moyenne, versez la farine et mélangez bien avec un fouet pour éviter la formation de grumeaux. Laissez 2 à 3 min. sur le feu, en veillant à ce que le beurre ne brûle pas.

3 Filtrez le lait en une seule fois dans la préparation à la farine et mélangez délicatement avec le fouet.

4 Portez à ébullition, en remuant sans arrêt, et poursuivez la cuisson pendant 4 à 5 min. Assaisonnez. Ajoutez le fromage que vous faites fondre en tournant à feu doux. Incorporez le chou-fleur, puis gardez au chaud.

5 Portez à ébullition l'eau de cuisson du chou-fleur. Salez, mettez les pâtes et faites cuire *al dente*. Égouttez, puis dressez les pâtes sur un plat de service chaud. Nappez de sauce, mélangez bien et servez aussitôt.

Spaghettis aux lardons et à l'oignon

Une sauce facile et rapide à préparer avec des ingrédients qu'on a toujours sous la main.

INGRÉDIENTS

Pour 6 personnes

2 c. à soupe d'huile d'olive ou de saindoux

115 g/4 oz de lardons non fumés

1 petit oignon, finement haché

120 ml/½ tasse de vin blanc sec

450 g/1 lb de tomates fraîches ou en conserve, concassées

¼ c. à café de feuilles de thym

sel et poivre noir moulu

600 g/1 lb 6 oz de spaghettis

parmesan, fraîchement râpé, pour servir

1 Faites chauffer l'huile ou le saindoux dans une casserole moyenne. Ajoutez les lardons, l'oignon, et faites revenir pendant 8 à 10 min. à feu doux, jusqu'à ce qu'ils commencent à dorer.

2 Versez le vin et faites bouillir rapidement, jusqu'à évaporation du liquide. Ajoutez les tomates, le thym, le sel et le poivre, puis faites mijoter 10 à 15 min. à couvert, à feu moyen.

3 Faites cuire les pâtes *al dente*, dans une grande quantité d'eau bouillante salée, selon les instructions indiquées sur le paquet. Égouttez, mélangez à la sauce et servez le parmesan séparément.

Papillons au fenouil et aux noix

Un mélange très réussi de noix et de fenouil croquant.

Pour 4 personnes

75 g/½ tasse de noix, hachées grossièrement

1 gousse d'ail, écrasée

2 c. à soupe de persil plat

115 g/½ tasse de ricotta

450 g/1 lb de papillons

450 g/1 lb de bulbe de fenouil

noix, hachées, pour la décoration

1 Mettez les noix, l'ail, le persil dans un robot et mixez grossièrement. Transférez dans un saladier, et incorporez la ricotta.

2 Faites cuire les pâtes *al dente*, dans une grande quantité d'eau bouillante salée, selon les instructions indiquées sur le paquet. Égouttez soigneusement.

3 Émincez le fenouil et faites cuire 4 à 5 min. à la vapeur, jusqu'à ce qu'il soit tendre mais croquant.

4 Remettez les pâtes dans la cocotte. Ajoutez la préparation aux noix et le fenouil. Mélangez bien et saupoudrez de noix hachées. Servez aussitôt.

Pâtes aux légumes grillés

Un plat consistant, à servir accompagné de pain croustillant et d'un bon vin rouge. Des légumes grillés au barbecue n'en seront que meilleurs.

INGRÉDIENTS

Pour 4 personnes

1 aubergine

2 courgettes

1 poivron rouge

3 gousses d'ail, non pelées

environ 150 ml/⅔ tasse d'huile d'olive

sel et poivre noir moulu

450 g/1 lb de pappardelle

quelques branches de thym, pour la décoration

1 Préchauffez le gril. Coupez l'aubergine et les courgettes en deux dans la longueur avec un couteau pointu.

2 Coupez le poivron en deux, retirez la queue, les membranes et les graines. Détaillez la chair en huit morceaux dans la longueur.

3 Recouvrez la lèchefrite de papier aluminium et disposez dessus les légumes et l'ail. Enduisez généreusement d'huile, salez et poivrez.

4 Faites griller les légumes, si besoin en deux fois, en les retournant, jusqu'à ce qu'ils noircissent légèrement.

5 Laissez refroidir l'ail, pelez et coupez en deux. Arrosez les légumes d'huile d'olive et gardez au chaud.

6 Pendant ce temps, faites cuire les pâtes *al dente*, dans une grande quantité d'eau bouillante salée, selon les instructions indiquées sur le paquet. Égouttez bien et mélangez aux légumes. Servez aussitôt, décoré de branches de thym.

Conchiglie aux épinards et à la ricotta

De grosses coquilles sont toutes désignées pour accueillir de délicieuses garnitures, comme ce mélange d'épinards et de ricotta.

INGRÉDIENTS

Pour 4 personnes

350 g/12 oz de gros conchiglie

450 ml/1 ¾ tasse de passata ou de pulpe
   de tomate

275 g/10 oz d'épinards hachés surgelés, décongelés

50 g/2 oz de pain blanc, sans croûte, émietté

120 ml/½ tasse de lait

4 c. à soupe d'huile d'olive

250 g/9 oz de ricotta

sel et poivre noir moulu

1 pincée de noix muscade

1 gousse d'ail, écrasée

½ c. à café de beurre d'olives noires (facultatif)

parmesan

2 c. à soupe de pignons de pin

1 Faites cuire les pâtes *al dente*, dans une grande quantité d'eau bouillante salée, selon les instructions indiquées sur le paquet. Rincez sous l'eau froide, égouttez et réservez.

2 Filtrez la passata ou la pulpe de tomate dans un saladier à travers une passoire en Nylon. Mettez les épinards dans une autre passoire et pressez le liquide avec le dos d'une cuillère.

3 Mettez le pain, le lait, 3 c. à soupe d'huile dans un robot et mixez. Ajoutez les épinards, la ricotta, et assaisonnez avec le sel, le poivre et la noix muscade.

4 Mélangez la passata ou la pulpe de tomate avec l'ail, 1 c. à soupe d'huile et le beurre d'olive. Étalez la sauce sur le fond d'un plat à four.

5 Versez la préparation aux épinards dans une poche équipée d'une grosse douille et remplissez les pâtes (vous pouvez aussi utiliser une cuillère). Disposez les pâtes sur la sauce.

6 Préchauffez le gril à chaleur moyenne. Faites chauffer les pâtes 4 min. à chaleur vive dans le micro-ondes. Parsemez dessus le parmesan et les pignons, puis faites dorer sous le gril.

SALADES
ET ENTRÉES
~

Salade de pâtes complètes

Cette salade végétarienne, nourrissante, peut être composée avec n'importe quels légumes de saison, crus, légèrement blanchis, ou mélangés.

INGRÉDIENTS

Pour 8 personnes

450 g/1 lb de petites pâtes complètes (fusilli ou penne)

3 c. à soupe d'huile d'olive

2 carottes

1 petit bouquet de brocolis

175 g/1 ½ tasse de petits pois frais, écossés, ou surgelés

1 poivron rouge ou jaune

2 bâtons de céleri

4 petits oignons

1 grosse tomate

75 g/¾ tasse d'olives, dénoyautées

sel et poivre noir moulu

115 g/1 tasse de gruyère ou de mozzarella, en dés, ou un mélange des deux

Pour l'assaisonnement

3 c. à soupe de vin blanc ou de vinaigre balsamique

4 c. à soupe d'huile d'olive

1 c. à soupe de moutarde

1 c. à soupe de graines de sésame

2 c. à café d'herbes fraîches, mélangées et hachées (persil, thym, basilic)

1 Faites cuire les pâtes *al dente*, dans une grande quantité d'eau bouillante salée, selon les instructions indiquées sur le paquet. Égouttez, puis rincez sous l'eau froide. Égouttez de nouveau et mettez dans un grand saladier. Mélangez avec 3 c. à soupe d'huile et réservez. Laissez refroidir complètement.

2 Blanchissez légèrement les carottes, les brocolis et les petits pois dans une grande casserole d'eau bouillante. Rincez sous l'eau froide, puis égouttez bien.

3 Détaillez les carottes et les brocolis en menus morceaux et incorporez aux pâtes avec les petits pois. Émincez finement le poivron, le céleri, les oignons et la tomate, puis ajoutez dans la salade avec les olives.

4 Pour préparer l'assaisonnement, mélangez le vinaigre, l'huile et la moutarde. Incorporez les graines de sésame et les herbes. Versez sur la salade. Ajoutez si besoin du sel, du poivre, de l'huile ou du vinaigre. Saupoudrez de fromage, puis laissez reposer 15 min. avant de servir.

Salade de pâtes aux olives

Cette salade réunit toutes les saveurs de la Méditerranée. Voilà une manière originale d'accommoder les pâtes, idéale pour les journées estivales.

INGRÉDIENTS

Pour 6 personnes

450 g/1 lb de pâtes courtes (conchiglie, farfalle, penne)

4 c. à soupe d'huile d'olive vierge extra

10 tomates séchées, finement émincées

2 c. à soupe de câpres, conservées dans le sel ou la saumure

115 g/1 tasse d'olives noires, dénoyautées

2 gousses d'ail, finement écrasées

3 c. à soupe de vinaigre balsamique

sel et poivre noir moulu

3 c. à soupe de persil frais, ciselé

1 Faites cuire les pâtes *al dente*, dans une grande quantité d'eau bouillante salée, selon les instructions indiquées sur le paquet. Égouttez et rincez sous l'eau froide. Égouttez de nouveau et mettez dans un grand saladier. Mélangez avec l'huile d'olive et réservez.

2 Faites tremper les tomates 10 min. dans l'eau chaude. Gardez l'eau. Rincez soigneusement les câpres. Si elles ont été conservées dans le sel, faites-les tremper 10 min. dans l'eau chaude, puis rincez de nouveau.

3 Mettez les olives, les tomates, les câpres, l'ail et le vinaigre dans un saladier. Salez et poivrez.

4 Mélangez bien la préparation aux olives et les pâtes. Mouillez avec 2 à 3 c. à soupe de l'eau des tomates si la salade paraît trop sèche. Saupoudrez de persil et laissez reposer 15 min. avant de servir.

Salade de pâtes aux artichauts

Les brocolis et les olives noires relèvent cette salade de leurs vives couleurs.

Pour 4 personnes

7 c. à soupe d'huile d'olive

1 poivron rouge, coupé en quatre, épépiné
    et finement émincé

1 oignon, coupé en deux et finement émincé

1 c. à café de thym séché

sel et poivre noir moulu

3 c. à soupe de vinaigre de xérès

450 g/1 lb de pâtes (penne ou fusilli)

350 g/12 oz de cœurs d'artichauts en conserve,
    égouttés et finement émincés

150 g/5 oz de brocolis cuits, en morceaux

20 à 25 olives noires non salées, dénoyautées
    et hachées

2 c. à soupe de persil frais, ciselé

1 Faites chauffer 2 c. à soupe d'huile d'olive dans une poêle à fond antiadhésif. Ajoutez le poivron et l'oignon, et faites revenir 8 à 10 min. à feu doux, en remuant de temps en temps.

2 Incorporez le thym, ¼ c. à café de sel et le vinaigre, puis poursuivez la cuisson pendant 30 secondes, en tournant. Réservez.

3 Faites cuire les pâtes *al dente*, dans une grande quantité d'eau bouillante salée, selon les instructions indiquées sur le paquet. Égouttez, rincez sous l'eau chaude, puis égouttez de nouveau. Transférez dans un grand saladier. Versez 2 c. à soupe d'huile et mélangez bien.

4 Ajoutez dans les pâtes les artichauts, les brocolis, les olives, le persil, la préparation aux oignons et le reste d'huile. Salez et poivrez, puis mélangez. Laissez reposer au moins 1 h avant de servir ou gardez toute la nuit au réfrigérateur. Servez à température ambiante.

Salade de pâtes à la truite fumée

Le fenouil rehausse cette salade de son agréable saveur anisée.

INGRÉDIENTS

Pour 6 personnes

1 c. à soupe de beurre

115 g/4 oz de bulbe de fenouil, émincé

6 petits oignons (2 hachés et 4 finement émincés)

sel et poivre noir moulu

225 g/8 oz de filets de truite fumée, sans la peau, effeuillés

3 c. à soupe d'aneth frais, ciselé

115 g/½ tasse de mayonnaise

2 c. à café de jus de citron

2 c. à soupe de crème fraîche

450 g/1 lb de pâtes (gnocchis)

branches d'aneth frais, pour la décoration

2 Incorporez les oignons émincés, la truite, l'aneth, la mayonnaise, le jus de citron et la crème. Mélangez intimement.

3 Faites cuire les pâtes *al dente*, dans une grande quantité d'eau bouillante salée, selon les instructions indiquées sur le paquet. Égouttez soigneusement et laissez refroidir.

4 Mélangez les pâtes à la préparation. Rectifiez si besoin l'assaisonnement. Servez la salade fraîche ou à température ambiante, décorée d'aneth.

1 Faites fondre le beurre dans une petite poêle à fond antiadhésif. Ajoutez le fenouil, les oignons hachés. Salez et poivrez. Faites revenir pendant 3 à 5 min. à feu moyen, jusqu'à ce que les légumes soient tendres. Transférez dans un grand saladier et laissez refroidir légèrement.

Salade de pâtes au thon

Cette salade de pâtes se prépare rapidement avec des haricots et du thon en conserve.

INGRÉDIENTS

Pour 6 à 8 personnes

450 g/1 lb de pâtes courtes (macaronis
    ou farfalle)

4 c. à soupe d'huile d'olive

400 g/14 oz de thon en boîte, égoutté et effeuillé

800 g/28 oz de haricots secs en conserve
    (cannellini ou borlotti), rincés et égouttés

1 petit oignon rouge

2 bâtons de céleri

jus de 1 citron

2 c. à soupe de persil frais, haché

sel et poivre noir moulu

1 Faites cuire les pâtes *al dente*, dans une grande quantité d'eau bouillante salée. Égouttez, puis rincez sous l'eau froide. Égouttez de nouveau et mettez dans un saladier. Mélangez avec l'huile d'olive et laissez refroidir.

2 Incorporez le thon et les haricots dans les pâtes. Émincez très finement l'oignon et le céleri avant de les ajouter aux pâtes.

3 Mélangez le jus de citron et le persil, puis incorporez aux autres ingrédients. Salez et poivrez. Laissez la salade reposer au moins 1 h avant de servir.

Salade de pâtes au poulet

Cette salade se confectionne avec des restes de poulet cuit.

INGRÉDIENTS

Pour 4 personnes

350 g/12 oz de pâtes courtes (mezze, rigatoni,
    fusilli ou penne)

3 c. à soupe d'huile d'olive

225 g/8 oz de poulet cuit, froid

2 petits poivrons, rouge et jaune

50 g/½ tasse d'olives vertes, dénoyautées

4 petits oignons, hachés

3 c. à soupe de mayonnaise

1 c. à café de sauce worcestershire

1 c. à soupe de vinaigre de vin blanc

sel et poivre noir moulu

quelques feuilles de basilic frais,
    pour la décoration

1 Faites cuire les pâtes *al dente*, dans une grande quantité d'eau bouillante salée. Égouttez, puis rincez sous l'eau froide. Égouttez de nouveau et mettez dans un saladier. Mélangez avec l'huile d'olive et laissez refroidir.

2 Retirez les os du poulet, puis coupez en petits morceaux, de même que les poivrons.

3 Mettez dans un saladier tous les ingrédients sauf les pâtes. Rectifiez l'assaisonnement, puis mélangez aux pâtes. Servez frais, décoré de feuilles de basilic.

Salade de pâtes, d'asperges et de pommes de terre

Une salade à consommer en plat unique – un véritable délice aux asperges.

Pour 4 personnes

225 g/8 oz de pâtes complètes

4 c. à soupe d'huile d'olive vierge extra

sel et poivre noir moulu

350 g/12 oz de petites pommes de terre nouvelles

25 g/8 oz d'asperges fraîches

115 g/4 oz de parmesan

1 Faites cuire les pâtes *al dente*, dans une grande quantité d'eau bouillante salée. Égouttez bien et mélangez avec l'huile d'olive, le sel et le poivre.

2 Lavez les pommes de terre et faites cuire 12 à 15 min. dans l'eau bouillante salée. Égouttez et mélangez avec les pâtes.

3 Coupez les extrémités ligneuses des asperges et les tiges en deux si elles sont longues. Ébouillantez pendant 6 min. dans l'eau salée. Égouttez, rincez sous l'eau froide et laissez refroidir. Égouttez de nouveau et essuyez.

4 Mélangez les asperges avec les pommes de terre et les pâtes, assaisonnez et dressez dans un saladier. Décorez de copeaux de parmesan, et servez aussitôt.

Salade de pâtes aux noix et au roquefort

La réussite de cette salade du terroir tient à la qualité des ingrédients.

INGRÉDIENTS

Pour 4 personnes

225 g/8 oz de pâtes

feuilles de salades mélangées (roquette, laitue, chicorée rouge, etc.)

2 c. à soupe d'huile de noix

4 c. à soupe d'huile de tournesol

2 c. à soupe de vinaigre de vin rouge ou de vinaigre de xérès

sel et poivre noir moulu

225 g/8 oz de roquefort, émietté grossièrement

115 g/1 tasse de cerneaux de noix

1 Faites cuire les pâtes *al dente*, dans une grande quantité d'eau bouillante salée, selon les instructions indiquées sur le paquet. Égouttez bien et laissez refroidir. Lavez et séchez les feuilles de salade avant de les mettre dans un grand saladier.

2 Mélangez avec un fouet l'huile de noix et l'huile de tournesol, le vinaigre, le sel et le poivre.

3 Disposez les pâtes au milieu des feuilles de salade, saupoudrez de roquefort et versez l'assaisonnement.

4 Parsemez les noix sur le dessus et remuez juste avant de servir.

ASTUCE

Si possible, faites griller les noix quelques minutes pour faire ressortir leur saveur.

Salade de pâtes et de betterave

*Cette salade séduira vos convives par
la richesse de ses couleurs. Préparez
l'œuf et l'avocat au dernier moment
pour éviter qu'ils ne se décolorent.*

INGRÉDIENTS

Pour 8 personnes

2 betteraves crues, nettoyées

225 g/8 oz de fusilli ou de conchiglie

3 c. à soupe de vinaigrette

sel et poivre noir moulu

2 bâtons de céleri, finement émincés

3 petits oignons, émincés

75 g/¾ tasse de noix ou de noisettes,
    grossièrement hachées

1 pomme, coupée en deux, évidée et détaillée
    en tranches

Pour l'assaisonnement

4 c. à soupe de mayonnaise

3 c. à soupe de yaourt nature
    ou de fromage frais

2 c. à soupe de lait

2 c. à café de crème de raifort

Pour le service

feuilles de laitue

3 œufs durs, hachés

2 avocats

1 botte de cresson

1 Faites cuire les betteraves environ
1 h dans l'eau bouillante légèrement salée, sans les peler. Égouttez,
laissez refroidir, pelez et coupez en
morceaux. Réservez.

2 Faites cuire les pâtes *al dente*,
dans une grande quantité d'eau
bouillante salée, selon les instructions indiquées sur le paquet. Égouttez, ajoutez la vinaigrette, assaisonnez et remuez soigneusement. Laissez
refroidir avant de mélanger avec la
betterave, le céleri, les oignons, les
noix et la pomme.

3 Mélangez tous les ingrédients de
l'assaisonnement, puis incorporez
aux pâtes. Gardez au réfrigérateur.

4 Pour servir, garnissez de laitue
les parois d'un saladier et dressez
la salade dessus. Parsemez de morceaux d'œufs. Pelez, émincez les avocats, disposez sur le dessus, puis terminez avec le cresson.

Salade chaude aux pâtes, au jambon et aux œufs

Vous servirez en été cette salade chaude, enrichie d'une sauce à la moutarde et aux asperges.

INGRÉDIENTS

Pour 4 personnes

450 g/1 lb d'asperges

sel et poivre

450 g/1 lb de tagliatelles

225 g/8 oz de jambon cuit, en tranches
    de 5 mm/¼ po d'épaisseur, détaillées
    en lamelles

2 œufs durs, coupés en rondelles

50 g/2 oz de parmesan, en copeaux

Pour l'assaisonnement

50 g/2 oz de pomme de terre, cuite

5 c. à soupe d'huile d'olive

1 c. à soupe de jus de citron

2 c. à café de moutarde

120 ml/½ tasse de bouillon de légumes

1 Portez à ébullition une casserole d'eau salée. Jetez l'extrémité ligneuse des asperges. Coupez les asperges en deux et faites bouillir les parties épaisses pendant 12 min. Ajoutez les pointes 6 min. après. Rincez sous l'eau froide, puis égouttez.

2 Hachez finement 150 g/5 oz des parties épaisses des asperges, puis mixez dans un robot avec les ingrédients de l'assaisonnement. Salez et poivrez.

3 Faites cuire les pâtes *al dente*, dans une grande quantité d'eau bouillante salée, selon les instructions indiquées sur le paquet. Rincez sous l'eau froide, puis égouttez. Assaisonnez avec la sauce aux asperges et dressez sur quatre assiettes. Garnissez avec le jambon, les œufs et les pointes d'asperges, puis décorez de copeaux de parmesan.

Salade à l'avocat, à la tomate et à la mozzarella

Une salade gaie et ensoleillée, aux couleurs du drapeau italien.

INGRÉDIENTS

Pour 4 personnes

175 g/6 oz de farfalle

6 tomates bien rouges

225 g/8 oz de mozzarella

1 gros avocat

2 c. à soupe de basilic frais, ciselé

2 c. à soupe de pignons de pin, grillés

basilic frais, pour la décoration

Pour l'assaisonnement

6 c. à soupe d'huile d'olive

2 c. à soupe de vinaigre de vin

1 c. à café de vinaigre balsamique (facultatif)

1 c. à café de moutarde à l'ancienne

1 pincée de sucre en poudre

sel et poivre noir moulu

1 Faites cuire les pâtes *al dente*, dans une grande quantité d'eau bouillante salée. Égouttez bien et laissez refroidir.

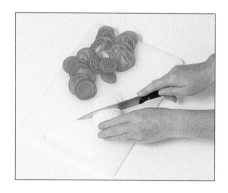

2 Détaillez les tomates et la mozzarella en fines tranches avec un couteau pointu.

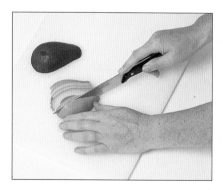

3 Coupez l'avocat en deux, dénoyautez et pelez, puis débitez la chair dans la longueur.

4 Mettez tous les ingrédients de l'assaisonnement dans un petit saladier et battez pour bien mélanger.

5 Disposez les morceaux de tomates, de mozzarella et d'avocat tout autour du plat, en les faisant se chevaucher.

6 Mélangez les pâtes avec la moitié de l'assaisonnement et le basilic, puis dressez au milieu du plat. Versez le reste de sauce, éparpillez les pignons de pin et décorez de basilic. Servez aussitôt.

Salade de nouilles aux cacahuètes

Une salade d'inspiration orientale, mêlant des cacahuètes chaudes avec des légumes croquants et des nouilles froides.

INGRÉDIENTS

Pour 4 personnes

350 g/12 oz de nouilles chinoises aux œufs

2 carottes, épluchées et détaillées en fins
  bâtonnets

½ concombre, épluché et détaillé
  en dés de 1 cm/½ po

115 g/4 oz de céleri-rave, épluché et détaillé
  en fins bâtonnets

6 petits oignons, finement émincés

8 châtaignes d'eau en conserve, égouttées
  et finement émincées

175 g/6 oz de germes de soja

1 petit piment vert, épépiné et finement haché

2 c. à soupe de graines de sésame,
  pour servir

115 g/1 tasse de cacahuètes, pour servir

Pour l'assaisonnement

2 c. à soupe de sauce de soja

1 c. à soupe de miel liquide

1 c. à soupe d'alcool de riz ou de xérès sec

1 c. à soupe d'huile de sésame

3 Mélangez les nouilles avec tous les légumes.

4 Mettez les ingrédients de l'assaisonnement dans un petit saladier, puis mélangez avec la préparation aux nouilles et aux légumes. Dressez la salade sur quatre assiettes.

5 Disposez les graines de sésame et les cacahuètes sur des plaques de cuisson séparées, puis enfournez. Faites griller les graines de sésame 5 min., et laissez les cacahuètes 5 min. de plus.

6 Répartissez les graines de sésame et les cacahuètes sur les quatre assiettes et servez aussitôt.

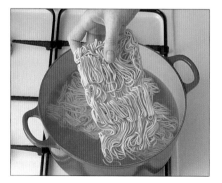

1 Préchauffez le four à 200 °C/ 400 °F/th. 6. Faites cuire les nouilles dans l'eau bouillante, selon les instructions indiquées sur le paquet.

2 Égouttez les nouilles, rincez sous l'eau froide, puis égouttez de nouveau.

Spaghettis aux fruits de mer

Cette sauce réunit d'authentiques saveurs marines. Elle peut être accompagnée de pain croustillant.

INGRÉDIENTS

Pour 4 personnes

350 g/12 oz de spaghettis

50 g/¼ tasse de beurre

1 oignon, haché

1 poivron rouge, évidé, épépiné
   et grossièrement haché

2 gousses d'ail, écrasées

1 c. à soupe de paprika

450 g/1 lb de moules dans leur coquille

150 ml/⅔ tasse de vin blanc sec

2 c. à soupe de persil frais, ciselé

225 g/2 tasses de crevettes, décortiquées

150 ml/⅔ tasse de crème fraîche

sel et poivre noir moulu

persil plat, finement ciselé, pour la décoration

1 Faites cuire les pâtes *al dente*, dans une grande quantité d'eau bouillante salée, selon les instructions indiquées sur le paquet.

2 Dans une poêle, faites revenir l'oignon, le poivron, l'ail et le paprika pendant 5 min. dans le beurre fondu.

3 Rincez et grattez les moules, en vérifiant que les coquilles sont bien fermées, ou qu'elles se ferment lorsqu'on tape dessus. Jetez celles qui restent ouvertes.

4 Versez le vin dans la poêle et portez à ébullition.

5 Incorporez les moules, le persil, les crevettes, couvrez et laissez frémir 5 min., jusqu'à ce que les moules s'ouvrent. Jetez celles qui restent fermées.

6 Sortez les fruits de mer de la poêle avec une écumoire et gardez au chaud. Faites bouillir le jus de cuisson, jusqu'à ce qu'il réduise de moitié.

7 Ajoutez la crème fraîche dans la poêle et mélangez bien. Assaisonnez. Remettez les fruits de mer dans la poêle et laissez frémir 1 min.

8 Égouttez les pâtes soigneusement, puis répartissez sur quatre assiettes de service. Disposez les fruits de mer sur le dessus et servez, décoré de persil.

Minestrone aux croûtons de pesto

Dans cette soupe originaire de Gênes, les légumes varient d'une région à l'autre de l'Italie. C'est une manière astucieuse d'utiliser des restes de légumes.

INGRÉDIENTS

Pour 4 personnes

2 c. à soupe d'huile d'olive

2 gousses d'ail, écrasées

1 oignon, coupé en deux, puis émincé

225 g/8 oz de lardons

2 petites courgettes, coupées en quatre
    et émincées

50 g/2 oz de haricots verts, en morceaux

2 petites carottes, coupées en dés

2 bâtons de céleri, coupés en menus morceaux

1 bouquet garni

50 g/2 oz de macaronis

50 g/½ tasse de petits pois surgelés

200 g/7 oz de haricots rouges en conserve,
    égouttés et rincés

50 g/1 tasse de chou vert, détaillé en lanières

4 tomates, pelées et épépinées

sel et poivre noir moulu

Pour les toasts

8 tranches de pain

1 c. à soupe de pesto en conserve

1 c. à soupe de parmesan, râpé

1 Faites revenir l'ail et les oignons pendant 5 min. dans l'huile chaude. Ajoutez les lardons, les courgettes, les haricots, les carottes, le céleri, et remuez pendant 3 min.

2 Versez 1,2 litre/5 tasses d'eau froide sur les légumes, puis incorporez le bouquet garni. Laissez frémir 25 min. à couvert.

3 Ajoutez les macaronis, les petits pois, les haricots, et poursuivez la cuisson pendant 8 min.

4 Prolongez encore la cuisson de 5 min. après avoir ajouté le chou et les tomates.

5 Pendant ce temps, tartinez les tranches de pain de pesto, saupoudrez de parmesan et faites dorer sous le gril chaud. Retirez le bouquet garni, assaisonnez et servez avec les toasts.

ASTUCE

Rendez ce plat encore plus appétissant pour les enfants en remplaçant les macaronis par des pâtes de couleurs.

Pâtes aux haricots beurre et au pesto

Vous pouvez acheter du pesto de bonne qualité plutôt que le fabriquer vous-même. Le pesto entre dans la composition de nombreuses sauces et s'accorde parfaitement avec les haricots beurre.

INGRÉDIENTS

Pour 4 personnes

225 g/8 oz de pâtes

sel et poivre noir moulu

noix muscade, fraîchement râpée

2 c. à soupe d'huile d'olive vierge extra

400 g/14 oz de haricots beurre cuits, égouttés

3 c. à soupe de pesto

150 ml/⅔ tasse de crème fraîche liquide

Pour le service

3 c. à soupe de pignons de pin

fromage râpé (facultatif)

basilic frais, pour la décoration (facultatif)

1 Faites cuire les pâtes *al dente*, dans une grande quantité d'eau bouillante salée, selon les instructions indiquées sur le paquet. Égouttez, en laissant un peu d'eau. Remettez les pâtes dans la casserole, assaisonnez, puis incorporez la noix muscade et l'huile.

2 Faites chauffer les haricots dans une casserole avec le pesto et la crème, en remuant jusqu'à ce que la préparation commence à frémir. Ajoutez aux pâtes et mélangez bien.

3 Servez dans des bols, avec les pignons de pin, le fromage et le basilic.

Salade méditerranéenne au basilic

Il s'agit d'une variante aux pâtes de la salade niçoise.

Pour 4 personnes

225 g/8 oz de grosses pâtes

175 g/6 oz de haricots verts fins

2 grosses tomates

sel et poivre

50 g/2 oz de feuilles de basilic frais

200 g/7 oz de thon à l'huile en conserve, égoutté

2 œufs durs, écalés et coupés en quartiers
    ou en rondelles

50 g/2 oz de filets d'anchois en conserve, égouttés

câpres et olives noires

Pour l'assaisonnement

6 c. à soupe d'huile d'olive vierge extra

2 c. à soupe de vinaigre de vin blanc
    ou de jus de citron

2 gousses d'ail, écrasées

½ c. à café de moutarde

2 c. à café de basilic frais, ciselé

sel et poivre noir moulu

1 Battez tous les ingrédients de l'assaisonnement avec un fouet et laissez reposer pendant que vous préparez la salade.

2 Faites cuire les pâtes *al dente*, dans une grande quantité d'eau bouillante salée. Égouttez bien et laissez refroidir.

3 Épluchez les haricots verts et blanchissez dans l'eau bouillante salée pendant 3 min. Égouttez, puis rincez sous l'eau froide.

4 Coupez les tomates en quartiers ou en rondelles et disposez au fond d'un saladier. Assaisonnez avant de poser dessus un quart du basilic, puis les haricots. Assaisonnez et ajoutez un tiers du reste de basilic.

5 Couvrez avec les pâtes assaisonnées et mélangées à la moitié du reste de basilic. Effeuillez le thon avant de l'incorporer aux pâtes.

6 Posez les œufs sur le dessus, puis répartissez les filets d'anchois, les câpres et les olives. Versez le reste d'assaisonnement et décorez avec le reste de basilic. Servez aussitôt. Ne mettez pas la salade au réfrigérateur pour qu'elle s'imprègne bien des différents parfums.

Salade de pâtes, de melon et de crevettes

Pour réaliser cette salade, vous pouvez mélanger des morceaux de melon et de pastèque.

INGRÉDIENTS

Pour 4 à 6 personnes

175 g/6 oz de pâtes

225 g/2 tasses de crevettes surgelées, décongelées et égouttées

1 gros melon ou 2 petits

4 c. à soupe d'huile d'olive

1 c. à soupe de vinaigre d'estragon

2 c. à soupe de ciboulette ou de persil frais, ciselé

feuilles de chou chinois, émincées, pour servir

herbes, pour la décoration

1 Faites cuire les pâtes *al dente*, dans une grande quantité d'eau bouillante salée. Égouttez bien et laissez refroidir.

2 Décortiquez les crevettes et jetez la carapace.

3 Coupez le melon en deux et retirez les pépins avec une cuillère à café. Détaillez la chair en billes avec une cuillère à melon, puis mélangez aux crevettes et aux pâtes.

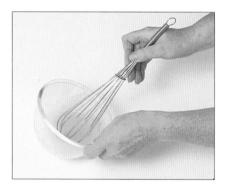

4 Battez ensemble l'huile, le vinaigre et les herbes. Versez sur la préparation aux crevettes et remuez. Couvrez et laissez au moins 30 min. au réfrigérateur.

5 Pendant ce temps, détaillez le chou chinois en lanières pour en garnir le fond d'un saladier.

6 Dressez dessus la préparation aux crevettes et décorez d'herbes.

Salade de pâtes et de poulet

Un plat nourrissant et une manière astucieuse d'utiliser des restes de poulet.

INGRÉDIENTS

Pour 4 personnes

225 g/8 oz de fusilli de trois couleurs

2 c. à soupe de pesto

1 c. à soupe d'huile d'olive

1 tomate

12 olives noires, dénoyautées

sel et poivre noir moulu

225 g/8 oz de haricots verts cuits, coupés
en sections de 4 cm/1 ½ po

350 g/12 oz de poulet cuit, détaillé en dés

basilic frais, pour la décoration

1 Faites cuire les pâtes *al dente*, dans une grande quantité d'eau bouillante salée.

2 Égouttez les pâtes et rincez sous l'eau froide. Dans un saladier, mélangez au pesto et à l'huile d'olive.

3 Pelez la tomate après l'avoir ébouillantée pendant 45 secondes et plongée dans l'eau froide.

4 Détaillez la tomate en petits dés, et ajoutez aux pâtes avec les olives, l'assaisonnement et les haricots. Incorporez le poulet. Remuez délicatement et dressez sur un plat de service. Décorez de basilic frais.

PLATS
GOURMANDS

Lasagnes aux aubergines

Ce délicieux plat de lasagnes peut se congeler.

INGRÉDIENTS

Pour 4 personnes

3 aubergines, détaillées en rondelles

5 c. à soupe d'huile d'olive

2 gros oignons, finement hachés

800 g/28 oz de tomates concassées en conserve

1 c. à café d'herbes séchées, mélangées

2 à 3 gousses d'ail, écrasées

sel et poivre noir moulu

6 feuilles de lasagne sans précuisson

Pour la sauce au fromage

2 c. à soupe de beurre

2 c. à soupe de farine

300 ml/1 ¼ tasse de lait

½ c. à café de moutarde

8 c. à soupe de gruyère, râpé

1 c. à soupe de parmesan, râpé

1 Mettez les rondelles d'aubergines dans une passoire, en les saupoudrant légèrement de sel. Laissez reposer 1 h, puis rincez et essuyez avec du papier absorbant.

2 Faites rissoler les aubergines dans 4 c. à soupe d'huile, puis égouttez sur du papier absorbant. Versez le reste d'huile dans la poêle et faites mijoter les oignons 5 min. avant d'incorporer les tomates, les herbes, l'ail et l'assaisonnement. Portez à ébullition et laissez frémir 30 min. à couvert.

3 Faites fondre le beurre dans une casserole, ajoutez la farine et remuez 1 min. Versez peu à peu le lait. Portez à ébullition, en tournant, puis faites chauffer 2 min. Incorporez hors du feu la moutarde, les fromages et l'assaisonnement.

4 Préchauffez le four à 200 °C/ 400 °F/th. 6. Disposez la moitié des aubergines dans un plat à four, nappez avec la moitié de la sauce tomate. Couvrez avec trois feuilles de lasagne. Recommencez avec le reste de préparation et de lasagnes.

5 Versez la sauce au fromage, couvrez et faites cuire 30 min. au four.

Soufflé de macaronis

Cette préparation, très prisée des en-
fants, doit être servie dès sa sortie du
four pour éviter qu'elle ne s'affaisse.

Pour 3 à 4 personnes

75 g/3 oz de macaronis

beurre fondu

3 c. à soupe de chapelure

4 c. à soupe de beurre

1 c. à café de paprika

40 g/⅓ tasse de farine

300 ml/1 ¼ tasse de lait

75 g/3 oz de gruyère, râpé

50 g/2 oz de parmesan, râpé

sel et poivre noir moulu

3 œufs, jaunes et blancs séparés

1 Faites cuire les macaronis *al dente*, dans une grande quantité d'eau bouillante salée, selon les instructions indiquées sur le paquet. Égouttez bien et réservez. Préchauffez le four à 150 °C/300 °F/th. 2.

2 Graissez de beurre fondu un plat à soufflé de 1,2 litre/5 tasses, puis saupoudrez de chapelure.

3 Mettez dans une casserole le beurre, le paprika, la farine, le lait, et portez doucement à ébullition, en fouettant sans arrêt, jusqu'à ce que la préparation devienne lisse et épaisse.

4 Laissez frémir 1 min., puis incorporez les fromages hors du feu en remuant, jusqu'à ce qu'ils fondent. Assaisonnez et mélangez aux macaronis.

5 Ajoutez les jaunes d'œufs. Battez les blancs en neige ferme et versez-en un quart dans la préparation pour l'alléger.

6 Incorporez le reste des blancs avec une cuillère en métal, avant de verser la préparation dans le plat à soufflé.

7 Posez au milieu du four et faites cuire 40 à 45 min., jusqu'à ce que le soufflé soit levé et doré. Il doit être mou au milieu et présenter à l'intérieur une consistance légèrement crémeuse.

Gratin grec

Dénommée pastitsio *en Grèce, cette préparation nourrissante et économique peut se consommer en plat unique.*

Pour 4 personnes

1 c. à soupe d'huile

450 g/4 tasses d'agneau, haché

2 gousses d'ail, écrasées

1 oignon, haché

2 c. à soupe de farine

2 c. à soupe de concentré de tomates

300 ml/1 ¼ tasse de bouillon de bœuf

sel et poivre noir moulu

2 grosses tomates

115 g/1 tasse de pâtes

450 g/1 lb de yaourt grec

2 œufs

1 Préchauffez le four à 190 °C/375 °F/ th. 5. Faites revenir l'agneau 5 min. dans l'huile chaude. Ajoutez l'ail, l'oignon, et laissez mijoter 5 min.

2 Incorporez la farine, le concentré de tomates, et poursuivez la cuisson pendant 1 min.

3 Versez le bouillon et assaisonnez. Portez à ébullition, puis laissez frémir 20 min.

4 Coupez les tomates en rondelles, mettez la viande dans un plat à four et disposez les tomates dessus.

5 Faites cuire les pâtes *al dente*, dans une grande quantité d'eau bouillante salée, pendant 8 à 10 min. Égouttez soigneusement.

6 Mélangez les pâtes, le yaourt et les œufs. Versez sur les tomates, puis faites cuire 1 h. au four. Servez accompagné d'une salade.

Sauce bolognaise

Cette délicieuse sauce, spécialité de Bologne, accompagne à merveille les tagliatelles et les pâtes courtes telles que penne ou conchiglie, de même que les spaghettis. Elle est aussi le complément indispensable des lasagnes. Elle se conserve plusieurs jours au réfrigérateur et trois mois au congélateur.

INGRÉDIENTS

Pour 6 personnes

2 c. à soupe de beurre

4 c. à soupe d'huile d'olive

1 oignon, finement haché

2 c. à soupe de pancetta ou de lard non fumé, finement haché

1 carotte, finement émincée

1 bâton de céleri, finement émincé

1 gousse d'ail, finement hachée

350 g/3 tasses de bœuf, haché

sel et poivre noir moulu

150 ml/⅔ tasse de vin rouge

120 ml/½ tasse de lait

400 g/14 oz de tomates-olivettes en conserve, concassées, avec leur jus

1 feuille de laurier

¼ c. à café de feuilles de thym

pâtes cuites, pour servir

1 Faites rissoler l'oignon à feu moyen pendant 3 à 4 min. dans l'huile et le beurre chauds. Ajoutez la pancetta ou le lard, et remuez jusqu'à ce que l'oignon soit translucide. Incorporez la carotte, le céleri et l'ail, puis poursuivez la cuisson pendant 3 à 4 min.

2 Mélangez le bœuf en le séparant avec une fourchette. Remuez jusqu'à ce que la viande change de couleur, et assaisonnez.

3 Versez le vin, augmentez légèrement le feu et laissez 3 à 4 min., jusqu'à évaporation du liquide. Ajoutez le lait, que vous faites chauffer jusqu'à évaporation.

4 Incorporez les tomates avec leur jus et les herbes. Portez la sauce à ébullition. Réduisez le feu et laissez frémir 1 h 30 à 2 h à découvert, en remuant de temps en temps. Rectifiez l'assaisonnement avant de servir sur les pâtes.

Pâtes à la sauce carbonara

En Italie, la sauce carbonara accompagne généralement les spaghettis, mais elle est tout aussi savoureuse avec des tagliatelles fraîches.

INGRÉDIENTS

Pour 4 personnes

350 à 450 g/12 oz à 1 lb de tagliatelles fraîches

1 c. à soupe d'huile d'olive

225 g/8 oz de jambon, lard ou pancetta, détaillé en lamelles de 2,5 cm/1 po

115 g/4 oz de champignons de Paris, émincés

4 œufs, légèrement battus

5 c. à soupe de crème fraîche liquide

sel et poivre noir moulu

2 c. à soupe de parmesan, finement râpé

basilic frais, pour la décoration

1 Faites cuire les pâtes *al dente*, pendant 6 à 8 min., dans une grande quantité d'eau bouillante salée, additionnée d'huile.

2 Pendant ce temps, faites revenir la viande 3 à 4 min. dans l'huile chaude, puis ajoutez les champignons et laissez mijoter 3 à 4 min. Retirez du feu et réservez. Battez légèrement les œufs et la crème dans un saladier et assaisonnez.

3 Égouttez les pâtes soigneusement, puis remettez dans la casserole. Incorporez la viande, les champignons et le fond de cuisson.

4 Mélangez ensuite les œufs, la crème et la moitié du parmesan. Les œufs cuisent à la chaleur des pâtes. Dressez sur des assiettes chaudes, saupoudrez avec le reste de parmesan et décorez de basilic.

Gratin de pâtes

Dans cette spécialité britannique, vous pouvez remplacer le cheddar par le fromage de votre choix.

INGRÉDIENTS

Pour 4 personnes

1 c. à soupe d'huile d'olive

275 g/10 oz de macaronis

2 poireaux, détaillés en morceaux

4 c. à soupe de beurre

50 g/½ tasse de farine

900 ml/3 ¼ tasses de lait

225 g/2 tasses de cheddar, râpé

2 c. à soupe de fromage frais

1 c. à café de moutarde à l'ancienne

sel et poivre noir moulu

50 g/1 tasse de chapelure

25 g/½ tasse de gruyère, râpé

1 c. à soupe de persil frais, ciselé, pour la décoration

1 Préchauffez le four à 180 °C/350 °F/ th. 4. Portez à ébullition une grande casserole d'eau salée et versez l'huile d'olive. Ajoutez les macaronis, les poireaux, puis faites bouillir doucement pendant 10 min. Égouttez, rincez sous l'eau froide et réservez.

2 Faites revenir la farine pendant 1 min. dans le beurre chaud. Versez le lait progressivement hors du feu, en remuant bien à chaque fois, pour obtenir une consistance lisse.

Remettez sur le feu et tournez sans arrêt, jusqu'à ce que la sauce épaississe.

3 Ajoutez le cheddar, le fromage frais, la moutarde, mélangez bien, salez et poivrez.

4 Incorporez les macaronis et les poireaux dans la sauce au fromage, puis mettez dans un plat à four beurré. Lissez le dessus avec le dos d'une cuillère avant de saupoudrer de chapelure et de gruyère.

5 Faites cuire 35 à 40 min. au four et servez chaud, décoré de persil.

Pastitsio de dinde

Le pastitsio grec traditionnel se prépare avec du bœuf ou de l'agneau haché, mais cette version plus légère est tout aussi savoureuse.

INGRÉDIENTS

Pour 4 à 6 personnes

450 g/4 tasses de dinde, hachée

1 gros oignon, finement haché

4 c. à soupe de concentré de tomates

250 ml/1 tasse de vin rouge ou de bouillon

1 c. à café de cannelle moulue

300 g/11 oz de macaronis

300 ml/1 ¼ tasse de lait écrémé

2 c. à soupe de margarine de tournesol

3 c. à soupe de farine

1 c. à café de noix muscade, râpée

sel et poivre noir moulu

2 tomates, coupées en rondelles

4 c. à soupe de chapelure

salade verte, en accompagnement

1 Préchauffez le four à 220 °C/ 425 °F/ th. 7. Faites dorer la dinde et l'oignon dans une poêle à fond antiadhésif, en remuant.

2 Ajoutez le concentré de tomates, le vin rouge ou le bouillon et la cannelle. Assaisonnez, puis laissez frémir 5 min. à couvert.

3 Faites cuire les macaronis *al dente*, dans une grande quantité d'eau bouillante salée, selon les instructions indiquées sur le paquet. Égouttez.

4 Étalez les macaronis sur la préparation précédente, dans un grand plat à four.

5 Mettez le lait, la margarine et la farine dans une casserole, puis mélangez à feu moyen, jusqu'à obtention d'une consistance lisse et épaisse.

6 Assaisonnez avec la noix muscade, le sel et le poivre, puis versez sur les pâtes. Disposez les rondelles de tomate sur le dessus et saupoudrez de chapelure.

7 Faites cuire 30 à 35 min. au four, jusqu'à ce que le dessus soit doré. Servez aussitôt avec une salade verte.

Fusilli à la dinde

Brocoli et pâtes s'associent pour constituer un plat unique.

INGRÉDIENTS

Pour 4 personnes

675 g/1 ½ lb de tomates-olivettes fermes, coupées en quatre

6 c. à soupe d'huile d'olive

1 c. à café d'origan séché

350 g/12 oz de bouquets de brocolis

1 petit oignon, émincé

1 c. à café de thym séché

450 g/1 lb de filet de dinde, sans peau et sans os, détaillé en dés

sel et poivre noir moulu

3 gousses d'ail, écrasées

1 c. à soupe de jus de citron

450 g/1 lb de fusilli

1 Préchauffez le four à 200 °C/400°F/ th. 6. Disposez les tomates dans un plat à four, puis ajoutez 1 c. à soupe d'huile, l'origan et ½ c. à café de sel.

2 Faites cuire 30 à 40 min. au four, jusqu'à ce que les tomates soient dorées.

3 Pendant ce temps, blanchissez les brocolis pendant 5 min. dans une grande quantité d'eau bouillante salée. Égouttez et réservez. (Vous pouvez aussi les cuire à la vapeur.)

4 Faites chauffer 2 c. à soupe d'huile dans une grande poêle à fond antiadhésif. Ajoutez l'oignon, le thym, la dinde et ½ c. à café de sel. Remuez pendant 5 à 7 min. à feu vif, jusqu'à ce

que la viande commence à dorer. Incorporez l'ail et poursuivez la cuisson pendant 1 min., en remuant souvent.

5 Assaisonnez de jus de citron et de poivre hors du feu. Réservez et gardez au chaud.

6 Faites cuire les fusilli *al dente*, dans une grande quantité d'eau bouillante salée, selon les instructions indiquées sur le paquet. Égouttez, mettez dans un grand saladier et mélangez avec le reste d'huile.

7 Ajoutez les brocolis dans la préparation à la dinde, puis mélangez aux fusilli. Incorporez les tomates et remuez avant de servir.

Nouilles aux champignons

*Les trompettes-de-la-mort relèvent
cette sauce de leur saveur délicate.*

INGRÉDIENTS

Pour 2 à 4 personnes

25 g/1 oz de trompettes-de-la-mort
    déshydratées

175 ml/¾ tasse d'eau chaude

900 g/2 lb de tomates pelées, épépinées
    et concassées, ou de tomates en conserve,
    égouttées

¼ c. à café de piment séché, en flocons

sel et poivre noir moulu

3 c. à soupe d'huile d'olive

4 tranches de pancetta ou de poitrine de porc
    non fumée, détaillées en fines lamelles

1 grosse gousse d'ail, finement hachée

350 g/12 oz de tagliatelles ou de fettuccine

parmesan, fraîchement râpé, pour servir

1 Mettez les champignons dans un saladier et couvrez d'eau chaude. Laissez tremper 15 min.

2 Pendant ce temps, mettez les tomates dans une casserole avec le piment et l'assaisonnement. Si vous utilisez des tomates en conserve, écrasez-les grossièrement avec une fourchette ou un presse-purée. Laissez frémir 30 à 40 min., pour obtenir 750 ml/3 tasses de sauce. Remuez pour éviter qu'elle ne colle.

3 Sortez les champignons de l'eau et pressez le jus au-dessus du saladier. Réservez.

4 Versez le liquide des champignons dans les tomates à travers une mousseline, et poursuivez la cuisson pendant 15 min. à feu doux.

5 Pendant ce temps, faites dorer la pancetta ou le lard dans 2 c. à soupe d'huile. Ajoutez l'ail, les champignons, et remuez pendant 3 min. Réservez.

6 Faites cuire les pâtes *al dente*, dans une grande quantité d'eau bouillante salée, selon les instructions indiquées sur le paquet.

7 Incorporez la préparation aux champignons dans la sauce tomate et remuez bien. Salez et poivrez.

8 Égouttez les pâtes et remettez dans la casserole. Mélangez avec le reste d'huile. Dressez sur des assiettes chaudes, versez la sauce dessus et servez avec du parmesan fraîchement râpé.

Lasagnes au poulet

Inspiré de la spécialité italienne au bœuf, ce mets succulent séduira les convives de tous âges. Il suffira de l'accompagner d'une salade verte.

INGRÉDIENTS

Pour 8 personnes

2 c. à soupe d'huile d'olive

900 g/8 tasses de poulet cru, haché

225 g/8 oz de lardons sans la couenne, hachés

2 gousses d'ail, écrasées

450 g/1 lb de poireaux, émincés

225 g/8 oz de carottes, détaillées en dés

2 c. à soupe de concentré de tomates

450 ml/1 ¾ tasse de bouillon de poule

sel et poivre noir moulu

12 feuilles de lasagnes vertes, sans précuisson

Pour la sauce au fromage

4 c. à soupe de beurre

4 c. à soupe de farine

600 ml/2 ½ tasses de lait

115 g/1 tasse de gruyère, râpé

¼ c. à café de moutarde en poudre

sel et poivre noir moulu

1 Faites dorer le poulet et les lardons dans l'huile chaude, en les séparant avec une cuillère en bois. Ajoutez l'ail, les poireaux, les carottes, et remuez pendant 5 min. Incorporez le concentré de tomates, le bouillon, l'assaisonnement, puis laissez frémir 30 min.

2 Pour préparer la sauce, faites fondre le beurre dans une casserole, ajoutez la farine et mélangez progressivement le lait. Portez à ébullition en remuant sans arrêt, jusqu'à ce que la sauce épaississe, puis laissez frémir plusieurs minutes. Incorporez la moitié du gruyère, la moutarde, et assaisonnez.

3 Préchauffez le four à 190 °C/375 °F/th. 5. Disposez dans un plat à four la préparation au poulet, les lasagnes et la moitié de la sauce en couches alternées, en commençant et en terminant par la préparation au poulet.

4 Nappez avec le reste de sauce, saupoudrez du reste de fromage et faites cuire 1 h dans le four préchauffé, jusqu'à ce que le dessus soit doré.

Cannellonis à la viande

Ces cannellonis sont des rectangles de pâte aux œufs fabriquée maison, enroulés autour d'une garniture et cuits au four avec une sauce – une béchamel dans cette recette.

INGRÉDIENTS

Pour 6 à 8 personnes

2 c. à soupe d'huile d'olive

1 oignon, très finement haché

225 g/1 ½ tasse de bœuf maigre, haché

75 g/½ tasse de jambon, finement haché

1 c. à soupe de persil frais, ciselé

2 c. à soupe de concentré de tomates, allongé avec 1 c. à soupe d'eau

1 œuf

sel et poivre noir moulu

feuilles de pâte fabriquées avec 2 œufs

750 ml/3 tasses de sauce béchamel

50 g/½ tasse de parmesan, fraîchement râpé

3 c. à soupe de beurre

2 Mettez la préparation dans un saladier avec le jambon et le persil. Mélangez le concentré de tomates et l'œuf. Salez, poivrez, puis réservez.

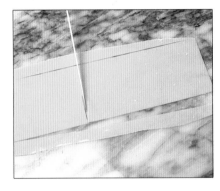

3 Préparez les bandes de pâte et ne laissez pas sécher avant de découper en rectangles de 13 à 15 cm/5 à 6 po de long et de la largeur de la machine (7,5 cm/3 po).

1 Pour préparer la farce à la viande, faites rissoler l'oignon dans l'huile chaude. Ajoutez le bœuf, en le séparant avec une fourchette, et remuez pendant 3 à 4 min., jusqu'à ce qu'il change de couleur.

4 Portez à ébullition une grande casserole d'eau. Posez à proximité un saladier d'eau froide. Couvrez un plan de travail avec un torchon. Salez l'eau bouillante et faites cuire dedans 3 ou 4 rectangles de pâte pendant 30 secondes. Plongez-les dans l'eau froide, puis égouttez-les rapidement avant de les poser sur le torchon. Répétez l'opération avec le reste de pâte.

5 Préchauffez le four à 220 °C/425 °F/ th. 7. Choisissez un plat à four suffisamment grand pour y poser les cannellonis en une seule couche. Beurrez le plat et couvrez le fond avec 2 à 3 c. à soupe de béchamel.

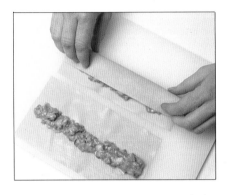

6 Mélangez environ un tiers de la sauce à la farce à la viande. Étalez une mince couche de farce sur chaque rectangle de pâte. Enroulez les rectangles dans la longueur, puis posez les cannellonis dans le plat, le bord fermé sur le dessous.

7 Nappez les cannellonis avec le reste de sauce, en l'enfonçant légèrement entre les rouleaux. Saupoudrez de parmesan et parsemez de beurre. Faites cuire 20 min. au four, puis laissez reposer 5 à 8 min. avant de servir.

Pâtes à la bolognaise et au fromage

*La mozzarella enrichit cette sauce
d'une consistance crémeuse.*

INGRÉDIENTS

Pour 4 personnes

2 c. à soupe d'huile d'olive

1 oignon, haché

1 gousse d'ail, écrasée

1 carotte, détaillée en dés

2 bâtons de céleri, hachés

2 tranches de lard, finement hachées

5 champignons de Paris, coupés en morceaux

450 g/1 lb de bœuf, haché

120 ml/½ tasse de vin rouge

1 c. à soupe de concentré de tomates

200 g/7 oz de tomates concassées en conserve

1 branche de thym

sel et poivre noir moulu

225 g/8 oz de penne

300 ml/1 ¼ tasse de lait

2 c. à soupe de beurre

2 c. à soupe de farine

150 g/1 tasse de mozzarella, en dés

4 c. à soupe de parmesan, râpé

basilic frais, pour la décoration

1 Faites revenir l'oignon, l'ail, la carotte et le céleri pendant 6 min. dans l'huile chaude.

2 Ajoutez le lard et remuez pendant 3 à 4 min. Incorporez ensuite les champignons, puis le bœuf 2 min. après, et faites dorer à feu vif.

3 Mélangez à la préparation le vin rouge, le concentré de tomates additionné de 3 c. à soupe d'eau, les tomates, puis le thym, et assaisonnez généreusement. Portez à ébullition et laissez frémir 30 min. à couvert.

4 Préchauffez le four à 200 °C/400 °F/th. 6. Portez à ébullition une casserole d'eau, versez un peu d'huile et faites cuire les pâtes 10 min.

5 Pendant ce temps, mettez le lait, le beurre et la farine dans une casserole, faites chauffer doucement en battant sans arrêt avec un fouet, jusqu'à ce que le mélange épaississe. Ajoutez la mozzarella, 2 c. à soupe de parmesan et assaisonnez.

6 Égouttez les pâtes et mélangez à la sauce au fromage. Faites bouillir rapidement la sauce tomate pendant 2 min., à découvert.

7 Garnissez de sauce le fond d'un plat à four, couvrez avec la préparation aux pâtes et saupoudrez le reste de parmesan. Faites cuire 25 min. au four, jusqu'à ce que le dessus soit doré. Décorez de basilic et servez chaud.

Nouilles frites à la thaïlandaise

Une riche diversité de saveurs et de textures compose ce plat.

INGRÉDIENTS

Pour 4 personnes

225 g/8 oz de nouilles fines aux œufs

4 c. à soupe d'huile végétale

2 gousses d'ail, finement hachées

175 g/6 oz de filet de porc, détaillé en fines
  lamelles

175 g/6 oz de blanc de poulet, sans peau et sans
  os, détaillé en fines lamelles

115 g/1 tasse de crevettes cuites, décortiquées
  (rincées si en conserve)

3 c. à soupe de jus de citron

3 c. à soupe de sauce de poisson

2 c. à soupe de sucre roux

2 œufs battus

½ piment rouge, épépiné et finement haché

50 g/¼ tasse de germes de soja

4 c. à soupe de cacahuètes grillées, hachées

3 petits oignons avec leurs feuilles, détaillés en
  tronçons de 5 cm/2 po de long

3 c. à soupe de coriandre fraîche, ciselée

1 Faites tremper les nouilles 5 min. dans une grande casserole d'eau bouillante.

2 Dans une poêle, faites rissoler l'ail pendant 30 secondes dans 3 c. à soupe d'huile chaude. Ajoutez le porc, le poulet, et faites dorer à feu vif. Incorporez les crevettes et poursuivez la cuisson pendant 2 min.

3 Mélangez ensuite le jus de citron, la sauce de poisson et le sucre, jusqu'à dissolution de ce dernier.

4 Égouttez les nouilles et ajoutez dans la poêle avec le reste d'huile. Mélangez soigneusement.

5 Versez les œufs et remuez, jusqu'à ce qu'ils soient presque cuits, puis incorporez le piment et les germes de soja. Ajoutez la moitié des cacahuètes, des oignons et de la coriandre dans la poêle et remuez

pendant 2 min. Dressez ensuite la préparation sur un plat de service. Saupoudrez avec le reste de cacahuètes, d'oignons, de coriandre, et servez aussitôt.

Rigatoni à la saucisse épicée

Cette imitation de la sauce bolognaise se prépare avec les saucisses épicées qui se vendent dans les épiceries italiennes.

Pour 4 personnes

450 g/1 lb de saucisse italienne épicée

2 c. à soupe d'huile d'olive

1 oignon, haché

450 ml/1 ¾ tasse de passata

150 ml/⅔ tasse de vin rouge

6 tomates séchées à l'huile, égouttées

sel et poivre noir moulu

450 g/1 lb de rigatoni ou autres grosses pâtes

parmesan, fraîchement râpé, pour servir

1 Videz les saucisses de leur chair et fractionnez en petits morceaux.

2 Faites rissoler l'oignon pendant 5 min. dans l'huile chaude. Ajoutez la chair des saucisses, que vous faites dorer en la séparant en morceaux avec une cuillère en bois. Versez la passata et le vin, puis portez à ébullition.

3 Hachez les tomates séchées avant de les incorporer à la sauce. Laissez frémir 3 min. en remuant pour réduire la sauce, puis assaisonnez.

4 Faites cuire les pâtes *al dente*, dans une grande quantité d'eau bouillante salée. Égouttez soigneusement et servez la sauce dessus, saupoudrée de parmesan.

Pâtes à la tomate et aux lardons

Une merveilleuse sauce à préparer en été, avec des tomates bien mûres et juteuses.

INGRÉDIENTS

Pour 4 personnes

900 g/2 lb de tomates

6 tranches de lard fumé

4 c. à soupe de beurre

1 oignon, haché

sel et poivre noir moulu

1 c. à soupe d'origan frais, haché, ou 1 c. à café d'origan séché

450 g/1 lb de pâtes

parmesan, fraîchement râpé, pour servir

1 Ébouillantez les tomates pendant 1 min., puis plongez dans l'eau froide. Pelez les tomates avant de les couper en deux, ôtez les graines et le cœur, puis hachez grossièrement la chair.

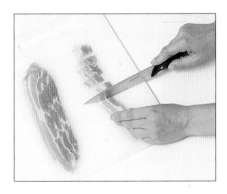

2 Retirez la couenne du lard et hachez grossièrement la viande.

3 Faites dorer le lard dans le beurre fondu, puis ajoutez l'oignon et faites rissoler pendant 5 min. Incorporez les tomates, le sel, le poivre, l'origan, et laissez frémir 10 min.

4 Faites cuire les pâtes *al dente*, dans une grande quantité d'eau bouillante salée, selon les instructions indiquées sur le paquet. Égouttez soigneusement et mélangez à la sauce. Servez avec une généreuse portion de parmesan.

Rotolo di pasta

Une grande feuille de pâte garnie d'épinards, puis roulée, pochée et détaillée en tranches avant d'être cuite au four avec une sauce béchamel ou à la tomate. Vous confectionnerez la pâte vous-même ou demanderez à votre traiteur italien de la préparer.

INGRÉDIENTS

Pour 6 personnes

700 g/1 ½ lb d'épinards hachés surgelés, décongelés

4 c. à soupe de beurre

1 oignon, haché

100 g/4 oz de jambon ou de lard, détaillé en dés

225 g/8 oz de ricotta ou de fromage frais

1 œuf

noix muscade, fraîchement râpée

sel et poivre noir moulu

pâte aux épinards fraîche, préparée avec 2 œufs et 200 g/1 ¾ tasse de farine

1,2 litre/5 tasses de sauce béchamel chaude

50 g/½ tasse de parmesan, fraîchement râpé

3 Étalez la pâte sous forme de rectangle de 30 × 40 cm/12 × 16 po. Recouvrez de garniture, en laissant tout autour une bordure de 1 cm/1/2 po.

4 Enroulez dans la largeur et enveloppez de mousseline, en forme de saucisse, en maintenant les extrémités avec de la ficelle. Faites pocher 20 min. dans une grande casserole (ou une poissonnière) d'eau frémissante. Retirez délicatement, égouttez et ôtez la mousseline, puis laissez refroidir.

5 Préchauffez le four à 200 °C/400 °F/th. 6. Découpez la préparation en tranches de 2,5 cm/1 po. Couvrez le fond d'un plat à four de sauce béchamel et disposez les tranches dessus, en les faisant se chevaucher légèrement.

6 Versez le reste de sauce, saupoudrez de fromage et faites cuire 15 à 20 min. au four, jusqu'à ce que le dessus commence à dorer. Laissez reposer quelques minutes avant de servir.

1 Pressez le jus des épinards et réservez.

2 Faites blondir l'oignon dans le beurre fondu. Ajoutez le jambon que vous faites dorer. Incorporez les épinards hors du feu. Laissez refroidir légèrement avant de mélanger la ricotta ou le fromage frais et l'œuf. Assaisonnez de sel, poivre et noix muscade.

Timbales de pâtes

Une manière originale d'accommoder les pâtes pour un dîner de fête. Mélangées avec du bœuf et de la tomate, puis cuites dans des feuilles de laitue, elles composent un plat inattendu.

INGRÉDIENTS

Pour 4 personnes
8 feuilles de romaine

Pour la farce
1 c. à soupe d'huile
175 g/1 ½ tasse de bœuf, haché
1 c. à soupe de concentré de tomates
1 gousse d'ail, écrasée
115 g/4 oz de macaronis
sel et poivre noir moulu

Pour la sauce
2 c. à soupe de beurre
2 c. à soupe de farine
250 ml/1 tasse de crème fraîche épaisse
2 c. à soupe de basilic frais, ciselé

4 Garnissez quatre ramequins de feuilles de salade. Assaisonnez la préparation et répartissez dans les ramequins.

5 Repliez les feuilles de salade sur la farce, puis posez dans un plat à four à moitié rempli d'eau bouillante. Couvrez et faites cuire 20 min.

6 Pour préparer la sauce, faites fondre le beurre dans une casserole. Ajoutez la farine, puis la crème et le basilic 1 min. après. Assaisonnez et portez à ébullition, en remuant sans arrêt. Démoulez les timbales et servez avec la sauce au basilic et une salade verte.

1 Préchauffez le four à 180 °C/350° F/th. 4. Pour préparer la farce, faites rissoler le bœuf 7 min. dans l'huile chaude. Ajoutez le concentré de tomates, l'ail et remuez pendant 5 min.

2 Faites cuire les macaronis *al dente*, pendant 8 à 10 min., dans une grande quantité d'eau bouillante salée, puis égouttez.

3 Mélangez les pâtes et la préparation à la viande.

Spaghettis alla carbonara

Le terme carbonara est dérivé de l'origine du plat, préparé tradition- nellement par les mineurs ou les charbonniers italiens. La réussite de la sauce tient à la cuisson de l'œuf.

INGRÉDIENTS

Pour 4 personnes

175 g/6 oz de lard non fumé

1 gousse d'ail, hachée

3 œufs

450 g/1 lb de spaghettis

sel et poivre noir moulu

4 c. à soupe de parmesan, fraîchement râpé

1 Détaillez le lard en dés dans une casserole moyenne et faites dorer avec l'ail. Gardez au chaud.

2 Battez les œufs dans un saladier comme pour une omelette.

3 Faites cuire les spaghettis *al dente*, dans une grande quantité d'eau bouillante salée, selon les ins- tructions indiquées sur le paquet. Égouttez soigneusement.

4 Mettez les spaghettis dans la cas- serole avec le lard, puis incorpo- rez les œufs, un peu de sel, beaucoup de poivre et la moitié du fromage. Mélangez soigneusement. Les œufs cuisent à la chaleur des pâtes. Servez dans des assiettes chaudes et saupou- drez avec le reste de parmesan.

Pâtes à la sauce bolognaise

La sauce bolognaise traditionnelle se prépare avec des foies de poulet, mais vous pouvez les remplacer par une quantité égale de bœuf haché.

INGRÉDIENTS

Pour 4 à 6 personnes

75 g/3 oz de pancetta ou de lard

115 g/4 oz de foies de poulet

4 c. à soupe de beurre

1 oignon, finement haché

1 carotte, détaillée en dés

1 bâton de céleri, finement haché

225 g/2 tasses de bœuf, haché

2 c. à soupe de concentré de tomates

120 ml/½ tasse de vin blanc

200 ml/à peine 1 tasse de bouillon de bœuf
   ou d'eau

sel et poivre noir moulu

noix muscade, fraîchement râpée

450 g/1 lb de tagliatelles, spaghettis ou fettuccine

parmesan, fraîchement râpé, pour servir

1 Détaillez en dés la pancetta ou le lard. Parez les foies de poulet, en retirant le gras et les morceaux verts, amers. Hachez les foies grossièrement.

2 Faites rissoler la pancetta ou le lard 2 à 3 min. dans 4 c. à soupe de beurre fondu. Ajoutez ensuite l'oignon, la carotte, le céleri et faites revenir.

3 Incorporez le bœuf que vous faites dorer à feu vif, en séparant les morceaux avec une cuillère. Mélangez les foies pendant 2 à 3 min., avant de verser le concentré de tomates avec le vin et le bouillon ou l'eau. Assaisonnez généreusement de sel, de poivre et de noix muscade. Portez à ébullition, puis laissez frémir 35 min. à couvert.

4 Faites cuire les pâtes *al dente*, dans une grande quantité d'eau bouillante salée, selon les instructions indiquées sur le paquet. Égouttez bien et mélangez avec du beurre, puis avec la sauce. Servez accompagné de parmesan.

Raviolis maison

Vous découvrirez avec surprise que vous pouvez fabriquer facilement vous-même les raviolis. Un mixer ou un robot sera utile pour pétrir la pâte et une machine à pâtes pour l'étaler, ces deux tâches pouvant toutefois être effectuées à la main.

INGRÉDIENTS

Pour 6 personnes

200 g/1 ¾ tasse de farine

½ c. à café de sel

1 c. à soupe d'huile d'olive

2 œufs battus

Pour la farce

1 petit oignon rouge, finement haché

1 petit poivron vert, finement haché

1 carotte, grossièrement râpée

1 c. à soupe d'huile d'olive

50 g/½ tasse de noix, hachées

115 g/½ tasse de ricotta

2 c. à soupe de parmesan ou de pecorino, fraîchement râpé

1 c. à soupe de marjolaine ou de basilic frais, haché

sel et poivre noir moulu

huile ou beurre fondu, pour servir

1 Tamisez la farine et le sel dans un mixer ou un robot. Ajoutez l'huile et les œufs pendant que la machine est en marche et mixez jusqu'à obtention d'une pâte ferme mais lisse.

2 Laissez l'appareil en marche au moins 1 min., ou bien sortez la pâte et pétrissez pendant 5 min. à la main.

3 Si vous utilisez une machine à pâtes, détaillez la pâte en petites boules que vous faites passer plusieurs fois entre les rouleaux, selon le mode d'emploi de la machine.

4 Si vous étalez la pâte à la main, divisez-la en deux portions et abaissez-la sur 5 mm/¼ po d'épaisseur sur un plan de surface fariné.

5 Pliez la pâte en trois, puis étalez-la de nouveau. Répétez cette opération six fois, jusqu'à ce que la pâte soit lisse et ne colle plus. Elle doit être à chaque fois plus fine.

6 Protégez les bandes de pâte avec des torchons propres et secs pendant que vous achevez la préparation de la pâte et de la garniture. Vous devez confectionner un nombre de bandes pair, de mêmes dimensions.

7 Faites revenir l'oignon, le poivron et la carotte dans l'huile pendant 5 min., puis laissez refroidir. Mélangez avec les noix, les fromages, les herbes et l'assaisonnement.

8 Étalez une bande de pâte et posez dessus de petites cuillerées de farce en rangs espacés de 5 cm/ 2 po. Humectez les intervalles d'eau,

puis couvrez avec une autre bande de pâte.

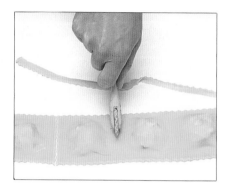

9 Appuyez dans les intervalles avant de découper des carrés avec un instrument à raviolis ou un emporte-pièce. Si les bords s'écartent, pressez légèrement dessus du bout des doigts.

10 Laissez les raviolis sécher au réfrigérateur, puis faites bouillir 5 min. dans une grande quantité d'eau bouillante salée.

11 Mélangez les raviolis avec un peu d'huile ou de beurre fondu avant de servir avec de la sauce tomate maison ou du fromage.

Merveille de l'automne

Les citrouilles évoquent les délices de l'automne, et leur peau mérite d'être conservée, comme dans cette recette, pour présenter les pâtes de manière spectaculaire.

INGRÉDIENTS

Pour 4 personnes

1,750 kg/4 à 4 ½ lb de citrouille

1 oignon, émincé

1 morceau de gingembre de 2,5 cm/1 po

3 c. à soupe d'huile d'olive vierge extra

1 courgette, émincée

115 g/4 oz de champignons, émincés

400 g/14 oz de tomates concassées en conserve

75 g/3 oz de conchiglie

450 ml/1 ¾ tasse de bouillon

sel et poivre noir moulu

4 c. à soupe de fromage frais

2 c. à soupe de basilic frais, ciselé

1 Préchauffez le four à 180 °C/350 °F/th. 4. Découpez la partie supérieure de la citrouille avec un grand couteau pointu, puis ôtez les pépins.

2 Retirez autant de chair que possible avec un petit couteau pointu et une cuillère à soupe, puis détaillez en morceaux.

3 Faites cuire la citrouille et son chapeau pendant 45 min. à 1 h, jusqu'à ce que l'intérieur devienne tendre.

4 Pendant ce temps, préparez la garniture. Faites revenir l'oignon, le gingembre et la chair de la citrouille pendant 10 min. dans l'huile d'olive, en remuant.

5 Ajoutez la courgette, les champignons, et poursuivez la cuisson pendant 3 min. avant d'incorporer les tomates, les pâtes et le bouillon. Assaisonnez, portez à ébullition, puis couvrez et laissez frémir doucement pendant 10 min.

6 Mélangez le fromage frais et le basilic aux pâtes, puis garnissez la citrouille de cette préparation. Si vous ne pouvez mettre toute la préparation dans la citrouille, servez le reste séparément.

Pâtes à la caponata

Les Siciliens accompagnent les pâtes d'une délicieuse préparation aigre-douce aux légumes, dénommée caponata.

INGRÉDIENTS

Pour 4 personnes

1 aubergine, détaillée en bâtonnets

2 courgettes, détaillées en bâtonnets

8 petits oignons, pelés, ou 1 gros oignon, émincé

2 gousses d'ail, écrasées

1 gros poivron rouge, émincé

4 c. à soupe d'huile d'olive vierge extra

450 ml/1 ¾ tasse de jus de tomate

150 ml/⅔ tasse d'eau

2 c. à soupe de vinaigre balsamique

jus de 1 citron

1 c. à soupe de sucre en poudre

2 c. à soupe d'olives noires, émincées

2 c. à soupe de câpres

sel et poivre noir moulu

400 g/14 oz de tagliatelles ou autres pâtes plates

1 Salez légèrement l'aubergine et les courgettes, et laissez-les dégorger 30 min. dans une passoire. Rincez, puis essuyez soigneusement avec du papier absorbant.

2 Faites revenir les oignons, l'ail et le poivre pendant 5 min. dans l'huile. Ajoutez l'aubergine et les courgettes, et remuez pendant 5 min.

3 Mélangez le jus de tomate et l'eau à la préparation. Portez à ébullition, puis incorporez le reste des ingrédients, sauf les pâtes. Assaisonnez et laissez frémir 10 min.

4 Pendant ce temps, faites cuire les pâtes *al dente*, dans une grande quantité d'eau bouillante salée. Égouttez. Servez la *caponata* avec les pâtes.

Cannellonis aux brocolis et à la ricotta

Un plat qui séduira particulière-ment les végétariens.

INGRÉDIENTS

Pour 4 personnes

12 cannellonis secs, de 7,5 cm/3 po de long

450 g/4 tasses de bouquets de brocolis

75 g/1 ½ tasse de mie de pain

150 ml/⅔ tasse de lait

4 c. à soupe d'huile d'olive

225 g/1 tasse de ricotta

1 pincée de noix muscade, râpée

6 c. à soupe de parmesan
    ou de pecorino, râpé

sel et poivre noir moulu

2 c. à soupe de pignons de pin

Pour la sauce tomate

2 c. à soupe d'huile d'olive

1 gousse d'ail, écrasée

1 oignon, finement haché

800 g/28 oz de tomates concassées en conserve

1 c. à soupe de concentré de tomates

4 olives noires, dénoyautées et hachées

1 c. à café de thym séché

sel et poivre noir moulu

1 Préchauffez le four à 190 °C/ 375° F/th. 5 et graissez légère-ment d'huile d'olive un plat à four. Portez à ébullition une grande casse-role d'eau, versez un peu d'huile d'olive et laissez frémir les cannello-nis 6 à 7 min., à découvert.

2 Pendant ce temps, faites cuire les brocolis à l'eau ou à la vapeur 10 min. Égouttez les pâtes, rincez sous l'eau froide et réservez. Égout-tez les brocolis et laissez refroidir, puis mixez dans un robot. Réservez.

3 Mélangez la mie de pain dans un saladier avec le lait et l'huile. Ajoutez la ricotta, la purée de broco-lis, la noix muscade, 4 c. à soupe de parmesan et l'assaisonnement, puis réservez.

4 Pour préparer la sauce, faites re-venir l'ail et l'oignon pendant 5 à 6 min. dans l'huile chaude. Incorpo-rez ensuite les tomates, le concentré de tomates, les olives, le thym et l'as-saisonnement. Faites bouillir rapide-ment 2 à 3 min., puis couvrez le fond du plat de cette sauce.

5 Versez la préparation au fromage dans une poche munie d'une douille de 1 cm/½ po. Ouvrez délicate-ment les cannellonis, puis remplissez-les de garniture en les tenant à la verti-cale. Disposez sur la sauce tomate.

6 Enduisez le dessus des cannello-nis d'huile avant de parsemer le reste de parmesan et les pignons de pin. Faites cuire 25 à 30 min. au four, jusqu'à ce que le dessus soit doré.

Tortellinis aux trois fromages

Servez ce plat dès la sortie du four, lorsque le fromage est encore coulant. Si vous ne trouvez pas de mozzarella fumée, remplacez-la par un fromage allemand ou du cheddar, fumé et râpé.

INGRÉDIENTS

Pour 4 à 6 personnes

450 g/1 lb de tortellinis frais

2 œufs

350 g/1 ½ tasse de ricotta ou de fromage frais

sel et poivre noir moulu

2 c. à soupe de beurre

2 c. à soupe de basilic frais, ciselé

115 g/4 oz de mozzarella fumée

4 c. à soupe de parmesan,
   fraîchement râpé

1 Préchauffez le four à 190 °C/ 375 °F/th. 5. Faites cuire les tortellinis *al dente*, dans une grande quantité d'eau bouillante salée, selon les instructions indiquées sur le paquet. Égouttez soigneusement.

2 Battez les œufs avec la ricotta ou le fromage frais et assaisonnez de poivre et de sel. Beurrez un plat à four. Mettez dedans la moitié des tortellinis, versez dessus la moitié de la préparation au fromage et ajoutez la moitié du basilic.

3 Couvrez avec la mozzarella et le reste de basilic. Posez dessus le reste des tortellinis, puis étalez le reste de la préparation au fromage.

4 Saupoudrez de parmesan avant de faire cuire 35 à 45 min. au four, jusqu'à ce que le dessus soit doré.

Cannellonis

Dans cette variante d'une spécialité italienne bien connue, une sauce au fromage accompagne des légumes.

Pour 4 personnes

8 cannellonis

115 g/4 oz d'épinards

Pour la farce

1 c. à soupe d'huile

2 gousses d'ail, écrasées

175 g/1 ½ tasse de bœuf, haché

2 c. à soupe de farine

120 ml/½ tasse de bouillon de bœuf

1 petite carotte, finement hachée

1 petite courgette jaune, hachée

sel et poivre noir moulu

Pour la sauce

2 c. à soupe de beurre

2 c. à soupe de farine

250 ml/1 tasse de lait

50 g/½ tasse de parmesan, fraîchement râpé

sel et poivre noir moulu

1 Préchauffez le four à 180 °C/ 350 °F/ th. 4. Pour préparer la farce, faites revenir l'ail et le bœuf pendant 5 min. dans l'huile chaude.

2 Ajoutez la farine et remuez pendant 1 min. Versez lentement le bouillon, puis portez à ébullition.

3 Incorporez la carotte et la courgette. Assaisonnez et poursuivez la cuisson pendant 10 min.

4 Garnissez les cannellonis de cette préparation, puis dressez dans un plat à four.

5 Blanchissez les épinards pendant 3 min. dans l'eau bouillante. Égouttez soigneusement avant d'étaler sur les cannellonis.

6 Pour préparer la sauce, mélangez la farine au beurre fondu pendant 1 min. Ajoutez le lait, le fromage, et assaisonnez. Portez à ébullition, en remuant sans arrêt. Nappez la préparation de cette sauce et faites cuire 30 min. au four. Servez avec des tomates et une salade verte.

Fusilli aux lentilles et au fromage

Cette association originale vous surprendra agréablement.

INGRÉDIENTS

Pour 4 personnes

1 c. à soupe d'huile d'olive

1 oignon, haché

1 gousse d'ail, hachée

1 carotte, détaillée en bâtonnets

350 g/12 oz de torsades (fusilli)

65 g/½ tasse de lentilles vertes, cuites à l'eau pendant 25 min.

1 c. à soupe de concentré de tomates

1 c. à soupe d'origan frais, haché

150 ml/⅔ tasse de bouillon de légumes

sel et poivre noir moulu

225 g/2 tasses de gruyère, râpé, plus un peu pour servir

1 Dans une poêle, faites revenir l'oignon et l'ail pendant 3 min. dans l'huile chaude. Ajoutez la carotte et poursuivez la cuisson pendant 5 min.

ASTUCE
〜

Si vous utilisez du concentré de tomates en boîte, vous pouvez conserver le reste en le mettant dans un bol, en versant dessus de l'huile d'olive et en le laissant au réfrigérateur jusqu'à nouvel emploi.

2 Faites cuire les pâtes *al dente*, dans une grande quantité d'eau bouillante salée.

3 Ajoutez dans la poêle les lentilles, le concentré de tomates et l'origan, remuez, couvrez et faites chauffer 3 min.

4 Versez le bouillon, salez, poivrez, puis laissez frémir 10 min., à couvert. Incorporez enfin le gruyère râpé.

5 Égouttez les pâtes soigneusement et mélangez à la sauce. Servez avec du gruyère râpé.

Fusilli au poulet et à la tomate

Un plat idéal pour un repas improvisé. Vous pourrez le servir avec une salade de haricots secs.

INGRÉDIENTS

Pour 4 personnes

1 c. à soupe d'huile d'olive

1 oignon, haché

1 carotte, coupée en menus morceaux

50 g/2 oz de tomates séchées à l'huile d'olive

1 gousse d'ail, hachée

400 g/14 oz de tomates concassées en conserve, égouttées

1 c. à soupe de concentré de tomates

150 ml/⅔ tasse de bouillon de poule

350 g/12 oz de fusilli

225 g/8 oz de poulet, émincé

sel et poivre noir moulu

menthe fraîche, pour la décoration

1 Dans une poêle, faites revenir l'oignon et la carotte pendant 5 min. dans l'huile chaude, en remuant.

2 Égouttez les tomates séchées, hachez-les et réservez.

3 Ajoutez dans la poêle l'ail, les tomates, le concentré de tomates, le bouillon, puis laissez frémir 10 min., en remuant de temps en temps.

4 Faites cuire les pâtes *al dente*, dans une grande quantité d'eau bouillante salée, selon les instructions indiquées sur le paquet.

5 Versez la sauce dans un robot et mixez, jusqu'à obtention d'une consistance homogène.

6 Remettez la sauce dans la poêle, puis incorporez les tomates séchées et le poulet. Laissez frémir 10 min., jusqu'à ce que le poulet soit cuit. Rectifiez si besoin l'assaisonnement.

7 Égouttez les pâtes soigneusement et mélangez à la sauce. Servez aussitôt, décoré de menthe fraîche.

Lasagnes al forno

Dans cette version traditionnelle d'une spécialité italienne, les pâtes s'enrichissent d'une sauce à la viande et d'une sauce béchamel. Vous pouvez remplacer cette dernière par de la mozzarella, et la sauce à la viande par un mélange de ricotta, de parmesan et d'herbes.

INGRÉDIENTS

Pour 4 à 6 personnes

environ 12 feuilles de lasagne sèches

1 portion de sauce bolognaise

environ 50 g/½ tasse de parmesan,
    fraîchement râpé

rondelles de tomate et branche de persil,
    pour la décoration

Pour la sauce béchamel

900 ml/3 ¾ tasses de lait

oignon, carotte et céleri, émincés

quelques grains de poivre noir

50 g/½ tasse de beurre

75 g/¾ tasse de farine

sel et poivre noir moulu

noix muscade, fraîchement râpé

1 Pour préparer la sauce béchamel, mettez dans une casserole le lait, les légumes et les grains de poivre. Portez à ébullition, retirez du feu, puis laissez reposer au moins 30 min.

2 Filtrez le lait. Mélangez la farine au beurre fondu et faites chauffer pendant 2 min. en remuant.

3 Hors du feu, versez le lait en une seule fois, battez et remettez sur le feu. Portez à ébullition, en fouettant sans arrêt, puis laissez frémir 2 à 3 min., sans cesser de remuer, jusqu'à ce que la sauce épaississe. Assaisonnez de sel, de poivre et de noix muscade.

4 Préchauffez le four à 180 °C/350 °F/ th. 4. Faites cuire les lasagnes dans une grande quantité d'eau bouillante salée, selon les instructions indiquées sur le paquet. Sortez-les avec une écumoire et égouttez sur un torchon propre. Versez un tiers de la sauce bolognaise dans un plat à four beurré.

5 Posez quatre feuilles de lasagne sur la sauce bolognaise. Étalez dessus un tiers de la sauce béchamel. Répétez l'opération deux fois, en terminant par la sauce béchamel.

6 Saupoudrez de parmesan et faites cuire environ 45 min. au four. Servez décoré de rondelles de tomate et de persil.

Lasagnes à la viande

Un succulent plat de lasagnes, préparé avec une pâte aux œufs, une sauce béchamel et une sauce bolognaise maison.

Pour 8 à 10 personnes

2 portions de sauce bolognaise

feuilles de pâte aux œufs préparée avec 3 œufs
   ou 400 g/14 oz de lasagnes sèches

115 g/1 tasse de parmesan, râpé

3 c. à soupe de beurre

Pour la sauce béchamel

750 ml/3 tasses de lait

1 feuille de laurier

3 morceaux de macis

115 g/½ tasse de beurre

75 g/¾ tasse de farine

sel et poivre noir moulu

1 Préparez la sauce bolognaise et réservez. Beurrez un grand plat à four, de préférence carré ou rectangulaire.

ASTUCE

Si vous utilisez des pâtes sèches ou industrielles, suivez l'étape 4, mais faites cuire les lasagnes en deux fois seulement, et arrêtez la cuisson environ 4 min. avant le temps indiqué sur le paquet. Rincez à l'eau froide, puis procédez comme avec la pâte aux œufs.

2 Pour préparer la sauce béchamel, faites chauffer doucement le lait avec le laurier et le macis dans une petite casserole. Délayez la farine dans le beurre fondu avec un fouet, et laissez 2 à 3 min. sur le feu. Filtrez le lait chaud dans cette préparation et mélangez avec le fouet. Portez à ébullition, en remuant sans arrêt, puis poursuivez la cuisson pendant 4 à 5 min. Salez, poivrez et réservez.

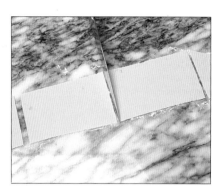

3 Confectionnez les pâtes. Ne laissez pas sécher avant de les découper en rectangles de 11 cm/4 ½ po de largeur et de la longueur du plat. Préchauffez le four à 200 °C/400 °F/ th. 6.

4 Portez à ébullition une grande casserole d'eau. Posez un saladier d'eau froide à côté de la cuisinière. Recouvrez un grand plan de travail avec un torchon. Salez l'eau bouillante, puis plongez dedans 3 ou 4 rec-

tangles de pâte. Faites cuire 30 secondes. Retirez avec une écumoire et laissez 30 secondes dans l'eau froide. Sortez du saladier, en égouttant, puis étalez sur le torchon, sans que les feuilles se chevauchent. Procédez de même avec le reste de pâte.

5 Pour assembler les lasagnes, couvrez le fond du plat de sauce à la viande. Étalez une couche de pâte, en la coupant aux dimensions du plat.

6 Posez dessus une mince couche de sauce bolognaise, puis une de béchamel, et saupoudrez de fromage. Procédez de même avec le reste de pâte et de préparation, en terminant par une couche de pâte recouverte de béchamel. Limitez-vous à 6 épaisseurs de pâte et utilisez les morceaux restants pour combler les trous. Saupoudrez le dessus de parmesan et parsemez de beurre.

7 Faites cuire 20 min. dans le four préchauffé, jusqu'à ce que le dessus soit doré. Laissez reposer 5 min. hors du four avant de servir des portions carrées ou rectangulaires.

Lasagnes aux poireaux et au fromage de chèvre

Un fromage de chèvre doux entre dans la composition de cette variante légère des lasagnes. La pâte sera meilleure si vous l'ébouillantez brièvement. Vous pouvez aussi utiliser des lasagnes sans précuisson.

INGRÉDIENTS

Pour 6 personnes

6 à 8 feuilles de lasagne

1 grosse aubergine, coupée en rondelles

3 poireaux, coupés en fines rondelles

2 c. à soupe d'huile d'olive

2 poivrons rouges, grillés

200 g/7 oz de fromage de chèvre

50 g/½ tasse de parmesan ou de pecorino, fraîchement râpé

Pour la sauce

9 c. à soupe de farine

5 c. à soupe de beurre

900 ml/3 ¾ tasses de lait

½ c. à café de feuilles de laurier, broyées

noix muscade, fraîchement râpée

sel et poivre noir moulu

1 Faites cuire les feuilles de pâte pendant 2 min. dans l'eau bouillante. Égouttez et posez sur un torchon propre.

2 Salez légèrement les rondelles d'aubergine et laissez dégorger 30 min. dans une passoire. Rincez, puis essuyez avec du papier absorbant.

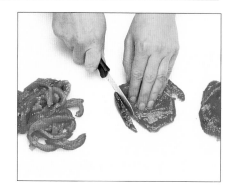

3 Préchauffez le four à 190 °C/ 375 °F/th. 5. Faites revenir les poireaux pendant 5 min. dans l'huile. Pelez les poivrons et détaillez en lanières.

4 Pour préparer la sauce, mettez dans une casserole la farine, le beurre, le lait et portez à ébullition, en remuant sans arrêt, jusqu'à ce qu'elle épaississe. Ajoutez le laurier, la noix muscade, salez et poivrez, puis laissez frémir 2 min.

5 Posez en alternance, dans un plat à four beurré, les poireaux, les feuilles de lasagne, l'aubergine, le fromage de chèvre coupé en morceaux, le parmesan ou le pecorino. Recouvrez uniformément de sauce.

6 Terminez par une couche de sauce et du fromage râpé. Faites cuire 30 min. au four, jusqu'à ce que le dessus soit doré. Servez aussitôt.

Macaronis au bleu

La sauce au bleu rehausse ce plat simple d'une saveur marquée.

INGRÉDIENTS

Pour 6 personnes

450 g/1 lb de macaronis

900 ml/3 ¾ tasses de lait

4 c. à soupe de beurre

6 c. à soupe de farine

¼ c. à café de sel

225 g/8 oz de bleu, émietté

poivre noir moulu

1 Préchauffez le four à 180 °C/ 350 °F/th. 4. Beurrez légèrement un plat à four de 33 × 23 cm/12 × 9 po.

2 Faites cuire les macaronis *al dente*, dans une grande quantité d'eau bouillante salée, selon les instructions indiquées sur le paquet. Égouttez et rincez sous l'eau froide. Réservez dans un grand saladier.

3 Portez le lait à ébullition dans une casserole et réservez.

4 Faites fondre le beurre à feu doux. Ajoutez la farine et battez sans arrêt pendant 5 min., sans faire brûler.

5 Hors du feu, mélangez le lait à la préparation avec un fouet. Poursuivez ensuite la cuisson à feu moyen pendant 5 min., en battant sans arrêt, jusqu'à ce que la sauce épaississe. Salez.

6 Mélangez la sauce aux macaronis. Incorporez trois quarts de bleu et remuez bien. Dressez la préparation dans le plat, en lissant la surface.

7 Saupoudrez dessus le reste de fromage, puis faites cuire 25 min. au four.

8 Faites dorer éventuellement 3 à 4 min. sous le gril avant de servir chaud, saupoudré de poivre.

RECETTES
RAPIDES
ET FACILES

Linguine au pesto

Le pesto est originaire de Ligurie, où l'on prétend que la brise marine confère au basilic une saveur particulière. Confectionné traditionnellement avec un pilon et un mortier, il se prépare plus facilement dans un robot ou un mixer. Vous pouvez le congeler dans un bac à glace pour un emploi ultérieur.

INGRÉDIENTS

Pour 5 à 6 personnes

65 g/¾ tasse de feuilles de basilic frais

3 à 4 gousses d'ail, pelées

3 c. à soupe de pignons de pin

½ c. à café de sel

5 c. à soupe d'huile d'olive

50 g/½ tasse de parmesan, fraîchement râpé

4 c. à soupe de pecorino, fraîchement râpé

poivre noir moulu

500 g/1 ¼ lb de linguine

3 Faites cuire les pâtes *al dente*, dans une grande quantité d'eau bouillante salée, selon les instructions indiquées sur le paquet. Avant d'égoutter, prélevez 3 c. à soupe de l'eau de cuisson que vous versez dans la sauce au pesto.

4 Égouttez les pâtes soigneusement et mélangez à la sauce. Servez aussitôt.

1 Mettez dans un robot le basilic, l'ail, les pignons, le sel, l'huile d'olive, et mixez. Transférez dans un saladier. Vous pouvez congeler le pesto à ce stade, avant d'ajouter les fromages.

2 Incorporez les fromages (si vous ne trouvez pas de pecorino, remplacez-le par du parmesan), puis poivrez.

Pappardelle aux haricots et aux champignons

Le mélange de champignons sauvages et cultivés enrichit ce plat d'une saveur originale.

INGRÉDIENTS

Pour 4 personnes

2 c. à soupe d'huile d'olive

4 c. à soupe de beurre

2 échalotes, hachées

2 à 3 gousses d'ail, écrasées

675 g/1 ½ lb de champignons mélangés, émincés grossièrement

4 tomates séchées à l'huile, égouttées et hachées

6 c. à soupe de vin blanc sec

sel et poivre noir moulu

400 g/14 oz de haricots secs (borlotti), égouttés

3 c. à soupe de parmesan, râpé

2 c. à soupe de persil frais, ciselé

pappardelle cuites

1 Faites revenir les échalotes dans l'huile et le beurre chauds.

2 Ajoutez l'ail, les champignons, et remuez pendant 3 à 4 min. Incorporez les tomates séchées, le vin, puis assaisonnez.

3 Mélangez les haricots et poursuivez la cuisson pendant 5 à 6 min., jusqu'à ce que le liquide soit en partie évaporé et que les haricots soient chauds.

4 Ajoutez le parmesan et remuez. Saupoudrez de persil avant de servir avec les pappardelle cuites.

Orecchiette aux brocolis

Puglia, dans le sud de l'Italie, est célèbre pour ses associations créatives de pâtes et de légumes. Dans cette recette, les pâtes cuisent dans l'eau de cuisson des brocolis et s'imprègnent ainsi de leur parfum.

INGRÉDIENTS

Pour 6 personnes

800 g/1 ¾ lb de brocolis

450 g/1 lb d'orecchiette ou de penne

6 c. à soupe d'huile d'olive

3 gousses d'ail, finement hachées

6 filets d'anchois à l'huile

sel et poivre noir moulu

1 Épluchez les tiges des brocolis à partir du bas avec un couteau. Jetez les parties ligneuses des tiges. Coupez les bouquets et les tiges en sections de 5 cm/2 po.

2 Faites cuire les brocolis 5 à 8 min. dans une grande casserole d'eau bouillante. Transférez sur un plat de service et gardez l'eau de cuisson.

3 Salez l'eau des brocolis et portez de nouveau à ébullition. Plongez les pâtes, remuez et faites cuire *al dente*, selon les instructions indiquées sur le paquet.

4 Pendant ce temps, faites revenir l'ail dans l'huile chaude, puis, 2 à 3 min. après, les filets d'anchois. Écrasez les anchois et l'ail avec une fourchette, puis poursuivez la cuisson pendant 3 à 4 min.

5 Avant d'égoutter les pâtes, versez sur les brocolis 250 à 500 ml/1 à 2 tasses de leur eau de cuisson. Mélangez les pâtes égouttées et la préparation aux anchois. Salez et poivrez si besoin avant de servir.

Spaghettis aux œufs et aux lardons

L'une des sauces classiques, qui suscite un éternel débat : doit-on l'enrichir de crème ? Les puristes pensent que non.

INGRÉDIENTS

Pour 4 personnes

2 c. à soupe d'huile d'olive

150 g/5 oz de lardons

1 gousse d'ail, écrasée

400 g/14 oz de spaghettis

3 œufs, à température ambiante

75 g/¾ oz de parmesan, fraîchement râpé

sel et poivre noir moulu

1 Faites rissoler les lardons et l'ail dans l'huile chaude, jusqu'à ce que les lardons commencent à dorer et à rejeter leur gras. Retirez et jetez l'ail. Gardez les lardons et le gras au chaud.

2 Faites cuire les spaghettis *al dente*, dans une grande quantité d'eau bouillante salée, selon les instructions indiquées sur le paquet.

3 Pendant ce temps, cassez les œufs dans un grand saladier chaud. Incorporez le parmesan avec une fourchette, salez et poivrez.

4 Égouttez les pâtes dès qu'elles sont cuites et mélangez à la préparation aux œufs. Ajoutez les lardons chauds et le gras. Remuez bien. Les œufs cuisent légèrement à la chaleur des pâtes et du gras. Servez aussitôt.

Rigatoni à l'ail

Vous pouvez préparer ce plat épicé avec la moitié du piment seulement si vous préférez les saveurs plus douces. L'ajout des lardons est facultatif.

INGRÉDIENTS

Pour 4 à 6 personnes

3 c. à soupe d'huile d'olive

2 échalotes, hachées

8 tranches de lard, hachées (facultatif)

2 c. à café de piments rouges séchés, écrasés

400 g/14 oz de tomates concassées, en conserve

sel et poivre noir moulu

6 tranches de pain blanc

2 gousses d'ail, hachées

115 g/½ tasse de beurre

450 g/1 lb de rigatoni

1 Faites dorer les échalotes et les lardons 6 à 8 min. dans l'huile chaude. Ajoutez les piments et les tomates, couvrez à moitié et laissez frémir 20 min. Assaisonnez.

4 Faites cuire les pâtes *al dente*, dans une grande quantité d'eau bouillante salée, selon les instructions indiquées sur le paquet. Égouttez.

2 Pendant ce temps, ôtez la croûte du pain, puis émiettez les tranches dans un mixer ou un robot.

5 Mélangez les pâtes à la sauce tomate et répartissez sur quatre ou six assiettes chaudes.

3 Faites revenir l'ail et la mie de pain dans le beurre chaud, en veillant à ne pas faire brûler cette dernière.

6 Saupoudrez de mie de pain et servez aussitôt.

Paglia e fieno

Le nom de ce plat, qui signifie « paille et foin », fait référence à la couleur jaune et verte des pâtes. Des petits pois apportent une note rafraîchissante à cette préparation.

INGRÉDIENTS

Pour 4 personnes

4 c. à soupe de beurre

350 g/3 tasses de petits pois surgelés ou 900 g/2 lb de petits pois frais, écossés

150 ml/⅔ tasse de crème fraîche épaisse, plus 4 c. à soupe

450 g/1 lb de tagliatelles (nature et vertes)

100 g/1 tasse de parmesan, fraîchement râpé

sel et poivre noir moulu

noix muscade, fraîchement râpée

1 Faites revenir les petits pois 2 à 3 min. dans le beurre fondu, puis ajoutez la crème, portez à ébullition et laissez frémir 1 min., jusqu'à ce que la préparation épaississe légèrement.

2 Faites cuire les tagliatelles *al dente*, dans une grande quantité d'eau bouillante salée, 2 min. de moins que le temps indiqué sur le paquet. Égouttez soigneusement, puis ajoutez à la préparation précédente.

3 Mettez sur le feu et mélangez les pâtes à la sauce. Incorporez le reste de crème, 50 g/½ tasse de parmesan, le sel, le poivre et un peu de noix muscade. Remuez soigneusement et faites chauffer avant de servir avec le reste de parmesan râpé.

ASTUCE

Vous pouvez enrichir ce plat de champignons sautés et de petits morceaux de jambon.

Sauce napolitaine

La recette de la sauce tomate classique.

INGRÉDIENTS

Pour 4 personnes

900 g/2 lb de tomates fraîches
   ou 750 g/1 ¾ lb de tomates-olivettes
   en conserve, avec leur jus
1 oignon, haché
1 carotte, coupée en dés
1 bâton de céleri, coupé en dés
150 ml/⅔ tasse de vin blanc sec (facultatif)
1 branche de persil frais
1 pincée de sucre en poudre
1 c. à soupe d'origan frais, haché,
   ou 1 c. à café d'origan séché
sel et poivre noir moulu
450 g/1 lb de pâtes
parmesan, fraîchement râpé, pour servir

1 Hachez les tomates et mettez dans une casserole moyenne.

2 Ajoutez tous les autres ingrédients, sauf l'origan, les pâtes, le fromage, et portez à ébullition. Couvrez à moitié et laissez frémir 45 min., jusqu'à ce que la sauce devienne très épaisse, en remuant de temps en temps. Filtrez avant d'ajouter l'origan. Rectifiez si besoin l'assaisonnement.

3 Faites cuire les pâtes *al dente*, dans une grande quantité d'eau bouillante salée, selon les instructions indiquées sur le paquet. Égouttez soigneusement.

4 Mélangez les pâtes avec la sauce, puis servez avec du parmesan.

Pâtes carbonara au piment et aux champignons

Les porcini (cèpes déshydratés) enrichissent cette sauce de leur saveur prononcée, et le piment en flocons de son parfum épicé.

INGRÉDIENTS

Pour 4 personnes

15 g/½ oz de champignons séchés (porcini)

300 ml/1 ¼ tasse d'eau chaude

225 g/8 oz de spaghettis

1 gousse d'ail, écrasée

2 c. à soupe de beurre

1 c. à soupe d'huile d'olive

225 g/8 oz de champignons de Paris, finement émincés

1 c. à café de piment rouge séché, en flocons

2 œufs

300 ml/1 ¼ tasse de crème fraîche

sel et poivre noir moulu

parmesan, fraîchement râpé, et persil frais, ciselé, pour servir

1 Faites tremper les champignons séchés 15 min. dans l'eau chaude. Égouttez et réservez le liquide.

2 Faites cuire les spaghettis *al dente*, dans une grande quantité d'eau bouillante salée, selon les instructions indiquées sur le paquet. Égouttez et rincez à l'eau froide.

3 Dans une grande casserole, faites revenir l'ail dans le beurre et l'huile chauds pendant quelques secondes.

4 Ajoutez les deux sortes de champignons, le piment, remuez et faites chauffer 2 min.

5 Versez le liquide réservé, puis faites bouillir pour réduire légèrement.

6 Battez les œufs avec la crème et assaisonnez bien. Remettez les spaghettis dans la casserole, puis incorporez les œufs et la crème. Réchauffez, sans porter à ébullition, et servez chaud, saupoudré de parmesan râpé et de persil ciselé.

VARIANTE

Vous pouvez remplacer les champignons par des poireaux finement émincés et sautés, ou un mélange de laitue en chiffonnade et de petits pois. Si le piment est trop fort pour vous, vous pouvez y substituer des tomates pelées et concassées, et du basilic frais, ciselé.

Tagliatelles sauce rapide

Cette sauce rapide permet de préparer un repas nourrissant en moins de 15 min. Inutile de peler les tomates si vous manquez de temps.

INGRÉDIENTS

Pour 2 personnes

115 g/4 oz de tagliatelles

3 c. à soupe d'huile d'olive,
   si possible vierge extra

sel et poivre noir moulu

3 grosses tomates

1 gousse d'ail, écrasée

4 petits oignons, émincés

1 piment vert, coupé en deux, épépiné et émincé

jus de 1 orange (facultatif)

2 c. à soupe de persil frais, ciselé

parmesan, râpé, pour servir (facultatif)

1 Faites cuire les tagliatelles *al dente*, dans une grande quantité d'eau bouillante salée. Égouttez et mélangez avec un peu d'huile. Assaisonnez.

2 Pelez les tomates après les avoir plongées dans l'eau bouillante pendant 45 secondes, puis dans l'eau froide. Hachez grossièrement la chair.

3 Faites revenir l'ail, les oignons et le piment pendant 1 min. dans le reste d'huile chaude.

4 Ajoutez les tomates, le jus d'orange et le persil. Assaisonnez bien et mélangez les tagliatelles pour les réchauffer. Servez avec du parmesan râpé.

ASTUCE

N'importe quelle espèce de pâtes convient pour cette recette. La sauce s'accorderait parfaitement avec des rigatoni ou des linguini, et vous pouvez également en farcir des raviolis ou des tortellinis.

Spaghettis à l'ail et à l'huile

Pour réussir ce plat de pâtes, très populaire en Italie, l'un des plus simples et des plus gratifiants, il suffit d'utiliser une huile de qualité.

INGRÉDIENTS

Pour 4 personnes

400 g/14 oz de spaghettis

6 c. à soupe d'huile d'olive vierge extra

3 gousses d'ail, hachées

4 c. à soupe de persil frais, ciselé

sel et poivre noir moulu

parmesan, fraîchement râpé, pour servir

(facultatif)

1 Faites cuire les spaghettis dans une grande quantité d'eau bouillante salée, selon les instructions indiquées sur le paquet.

2 Faites dorer légèrement l'ail dans l'huile chaude, sans le laisser brûler pour qu'il ne devienne pas amer. Ajoutez le persil, le sel et le poivre. Gardez hors du feu, jusqu'à ce que les pâtes soient cuites.

3 Égouttez les pâtes lorsqu'elles sont à peine *al dente*. Renversez dans la poêle avec l'ail et l'huile, et faites chauffer 2 à 3 min., en remuant bien. Servez aussitôt dans des assiettes chaudes, avec du parmesan.

Spaghettis aux noix

Comme le pesto, cette sauce, traditionnellement préparée avec un mortier et un pilon, peut aussi l'être avec un mixer ou un robot.

INGRÉDIENTS

Pour 4 personnes

115 g/1 tasse de morceaux ou de cerneaux de noix

3 c. à soupe de chapelure

3 c. à soupe d'huile d'olive ou de noix

3 c. à soupe de persil frais, ciselé

1 à 2 gousses d'ail (facultatif)

50 g/¼ tasse de beurre à température ambiante

2 c. à soupe de crème fraîche

400 g/14 oz de spaghettis complets

sel et poivre noir moulu

parmesan, fraîchement râpé, pour servir

1 Plongez les noix dans une petite casserole d'eau bouillante et faites cuire 1 à 2 min. Égouttez, pelez, puis essuyez sur du papier absorbant. Hachez grossièrement et réservez un quart des noix.

2 Mixez sous forme de pâte le reste des noix, la chapelure, l'huile, le persil et l'ail. Mettez dans un saladier, puis ajoutez le beurre ramolli et la crème. Salez et poivrez.

3 Faites cuire les pâtes *al dente*, dans une grande quantité d'eau bouillante salée, selon les instructions indiquées sur le paquet. Égouttez, puis mélangez à la sauce. Parsemez avec les noix réservées et servez le parmesan séparément.

Campanelle au poivron jaune

Cette sauce onctueuse se prépare avec des poivrons jaunes grillés.

INGRÉDIENTS

Pour 4 personnes

2 poivrons jaunes

50 g/¼ tasse de fromage de chèvre doux

115 g/½ tasse de fromage blanc allégé

sel et poivre noir moulu

450 g/1 lb de pâtes courtes (campanelle ou fusilli)

50 g/½ tasse d'amandes effilées, grillées, pour servir

1 Posez les poivrons sous le gril préchauffé, jusqu'à ce qu'ils noircissent et se boursouflent. Mettez dans un sac en plastique, fermez et laissez refroidir. Pelez et épépinez.

2 Mixez la chair des poivrons dans un robot avec le fromage de chèvre et le fromage blanc. Assaisonnez de sel et d'une généreuse quantité de poivre.

3 Faites cuire les pâtes *al dente*, dans une grande quantité d'eau bouillante salée, selon les instructions indiquées sur le paquet. Égouttez bien.

4 Mélangez à la sauce et servez parsemé d'amandes.

Spaghettis aux olives et aux champignons

Une sauce riche, rehaussée par la couleur des tomates-cerises.

INGRÉDIENTS

Pour 4 personnes

1 c. à soupe d'huile d'olive

1 gousse d'ail, hachée

225 g/8 oz de champignons, hachés

150 g/à peine 1 tasse d'olives noires, dénoyautées

2 c. à soupe de persil frais, ciselé

1 piment rouge, épépiné et haché

sel et poivre noir moulu

450 g/1 lb de spaghettis

225 g/8 oz de tomates-cerises

copeaux de parmesan, pour servir (facultatif)

1 Faites rissoler l'ail dans l'huile chaude pendant 1 min. Ajoutez les champignons, couvrez et faites cuire 5 min. à feu moyen.

2 Mettez les champignons dans un robot avec les olives, le persil et le piment, puis mixez pour obtenir une consistance homogène. Salez et poivrez.

3 Faites cuire les pâtes *al dente*, dans une grande quantité d'eau bouillante salée, selon les instructions indiquées sur le paquet. Égouttez bien et remettez dans la cocotte. Mélangez soigneusement la préparation. Couvrez et gardez au chaud.

4 Faites chauffer une poêle non graissée, mettez les tomates et secouez pendant 2 à 3 min., jusqu'à ce qu'elles commencent à se fendre. Servez les pâtes avec les tomates et les copeaux de parmesan.

Pâtes aux légumes de printemps

Utilisez de préférence des herbes fraîches pour parfumer cette préparation.

INGRÉDIENTS

Pour 4 personnes

115 g/4 oz de bouquets de brocolis

115 g/4 oz de petits poireaux

225 g/8 oz d'asperges

1 petit bulbe de fenouil

115 g/1 tasse de petits pois frais ou surgelés

3 c. à soupe de beurre

1 échalote, hachée

3 c. à soupe d'herbes fraîches, ciselées
    (persil, thym, sauge)

300 ml/1 ¼ tasse de crème fraîche épaisse

350 g/12 oz de penne

sel et poivre noir

parmesan, fraîchement râpé, pour servir

1 Séparez les tiges des bouquets de brocolis. Détaillez les poireaux et les asperges en sections de 5 cm/2 po. Parez le bulbe de fenouil et ôtez les feuilles extérieures. Coupez en quartiers, en laissant les feuilles attachées au pied du bulbe.

2 Faites cuire chaque espèce de légumes, y compris les petits pois, séparément dans de l'eau bouillante salée, jusqu'à ce qu'ils soient tendres (utilisez la même eau chaque fois). Égouttez bien et gardez au chaud.

3 Faites revenir l'échalote dans le beurre fondu, sans la laisser dorer. Ajoutez les herbes, la crème, et poursuivez la cuisson pendant quelques minutes, jusqu'à ce que la sauce épaississe.

4 Pendant ce temps, faites cuire les pâtes *al dente*, 10 min., dans une grande quantité d'eau bouillante salée. Égouttez bien et mélangez à la sauce avec les légumes. Remuez délicatement, salez, et poivrez généreusement.

5 Servez les pâtes bien chaudes, saupoudrées de parmesan fraîchement râpé.

Tagliatelles aux épinards et au fromage

Le mélange d'ingrédients d'origines diverses donne parfois des résultats inattendus. Ici, pâtes italiennes et épinards s'associent à la sauce de soja chinoise et à un fromage aux herbes dans une préparation riche et appétissante.

INGRÉDIENTS

Pour 4 personnes

225 g/8 oz de tagliatelles, de préférence
    de plusieurs couleurs

225 g/8 oz d'épinards en branches frais

2 c. à soupe de sauce de soja

3 c. à soupe de lait

75 g/3 oz de fromage à l'ail et aux herbes

sel et poivre noir moulu

1 Faites cuire les tagliatelles *al dente*, dans une grande quantité d'eau bouillante salée. Égouttez et remettez dans la casserole.

2 Blanchissez les épinards dans très peu d'eau, puis égouttez soigneusement, en pressant dessus avec le dos d'une cuillère en bois. Hachez grossièrement avec des ciseaux.

3 Remettez les épinards dans leur casserole, puis ajoutez la sauce de soja, le lait et le fromage. Portez doucement à ébullition, en remuant, et assaisonnez.

4 Versez la sauce sur les pâtes. Mélangez intimement et servez chaud.

Spaghettis olio e aglio

Une recette traditionnelle en provenance de Rome. À base de pâtes, d'huile d'olive (olio) et d'ail (aglio), ce « plat du pauvre », nourrissant et rapide à préparer, est désormais prisé dans le monde entier.

INGRÉDIENTS

Pour 4 personnes

2 gousses d'ail

2 c. à soupe de persil frais

120 ml/½ tasse d'huile d'olive

sel et poivre noir moulu

450 g/1 lb de spaghettis

1 Pelez et hachez finement l'ail avec un couteau pointu.

2 Hachez grossièrement le persil avec un couteau pointu sur une planche à découper.

3 Faites chauffer l'huile d'olive dans une casserole moyenne, puis ajoutez l'ail et une pincée de sel. Remuez à feu doux, jusqu'à ce que l'ail soit légèrement doré. S'il brûle, son goût amer détruira la saveur du plat.

4 Pendant ce temps, faites cuire les spaghettis *al dente*, dans une grande quantité d'eau bouillante salée, selon les instructions indiquées sur le paquet. Égouttez soigneusement.

5 Mélangez avec l'huile et l'ail chauds, puis assaisonnez généreusement de poivre et de persil. Servez aussitôt.

Spaghettis à la sauce tomate

*Les pâtes chaudes soulignent les dé-
licieuses saveurs de cette sauce, pour
laquelle vous choisirez des tomates
bien rouges et parfumées.*

INGRÉDIENTS

Pour 4 personnes

4 grosses tomates bien mûres

2 gousses d'ail, finement hachées

4 c. à soupe d'herbes fraîches, ciselées
    (basilic, marjolaine, origan, persil)

150 ml/⅔ tasse d'huile d'olive

sel et poivre noir moulu

450 g/1 lb de spaghettis

1 Ébouillantez les tomates pendant
1 min. Sortez-les avec une écumoire et plongez-les dans l'eau
froide. Pelez et essuyez avec du papier absorbant.

2 Coupez les tomates en deux et
retirez les graines. Détaillez en
dés de 5 mm/¼ po, puis mélangez
avec l'ail, les herbes, l'huile d'olive et
l'assaisonnement. Couvrez et laissez
reposer au moins 30 min.

3 Faites cuire les pâtes *al dente*,
dans une grande quantité d'eau
bouillante salée, selon les instructions indiquées sur le paquet.

4 Égouttez les pâtes et mélangez à
la sauce. Couvrez et laissez reposer 2 à 3 min., puis remuez de nouveau avant de servir.

VARIANTE

Mélangez à la sauce 115 g/1 tasse
d'olives noires dénoyautées et hachées juste avant de servir.

Tortellinis à la crème, au beurre et au fromage

Dans cette variante rapide et savoureuse des macaronis au fromage, vous pouvez également ajouter du jambon ou du pepperoni.

INGRÉDIENTS

Pour 4 à 6 personnes

450 g/1 lb de tortellinis frais

4 c. à soupe de beurre

300 ml/1 ¼ tasse de crème fraîche

115 g/4 oz de parmesan

sel et poivre noir moulu

noix muscade, fraîchement râpée

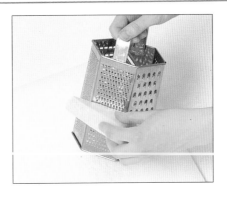

3 Râpez le parmesan et ajoutez-en 75 g/¾ tasse dans la sauce en le faisant fondre. Assaisonnez de sel, poivre et noix muscade. Préchauffez le gril.

4 Égouttez les pâtes soigneusement et mettez dans un plat à gratin beurré. Versez la sauce dessus, saupoudrez le reste de fromage et faites dorer sous le gril. Servez aussitôt.

1 Faites cuire les pâtes *al dente*, dans une grande quantité d'eau bouillante salée.

2 Pendant ce temps, faites fondre le beurre dans une casserole moyenne et versez la crème dedans. Portez à ébullition et laissez 2 à 3 min. sur le feu, jusqu'à ce que la préparation épaississe légèrement.

Pâtes grecques à l'avocat

Cette sauce originale de couleur verte, rehaussée de tomates rouges, offre une texture raffinée et veloutée. Une petite quantité suffit, car elle est très riche.

INGRÉDIENTS

Pour 6 personnes

3 tomates mûres

2 gros avocats mûrs

2 c. à soupe de beurre

1 gousse d'ail, écrasée

350 ml/1 ½ tasse de crème fraîche épaisse

sel et poivre noir moulu

un peu de sauce Tabasco

450 g/1 lb de tagliatelles vertes

parmesan, fraîchement râpé, pour la décoration

4 c. à soupe de crème fraîche, pour servir

1 Coupez les tomates en deux, puis retirez le cœur et les graines avant de détailler la chair. Réservez.

2 Coupez les avocats en deux, dénoyautez et pelez. Hachez grossièrement la chair. Si la peau est dure, ôtez la chair avec une cuillère.

3 Faites revenir l'ail pendant 1 min. dans le beurre fondu, puis ajoutez la crème et les avocats. Augmentez le feu en remuant sans arrêt pour réduire les avocats en purée.

4 Incorporez les tomates, puis assaisonnez de sel, poivre et Tabasco. Gardez la préparation au chaud.

5 Faites cuire les tagliatelles *al dente*, dans une grande quantité d'eau bouillante salée, selon les instructions indiquées sur le paquet. Égouttez soigneusement et mélangez avec un peu de beurre.

6 Répartissez les pâtes dans quatre assiettes chaudes et versez la sauce dessus. Saupoudrez de parmesan et déposez une cuillerée de crème fraîche dans chaque assiette.

Conchiglie aux tomates et à la roquette

Ce plat de pâtes coloré doit son suc-cès à la roquette, au goût légèrement poivré. On trouve cette salade dans le commerce, mais elle peut aussi se cultiver dans le jardin ou sur le rebord de la fenêtre.

INGRÉDIENTS

Pour 4 personnes

450 g/1 lb de conchiglie

450 g/1 lb de tomates-cerises mûres

75 g/3 oz de feuilles de roquette

3 c. à soupe d'huile d'olive

sel et poivre noir moulu

copeaux de parmesan, pour servir

1 Faites cuire les pâtes *al dente*, dans une grande quantité d'eau bouil-lante salée, selon les instructions indi-quées sur le paquet. Égouttez.

2 Coupez les tomates en deux. Épluchez, lavez et faites sécher les feuilles de roquette.

3 Faites revenir les tomates dans l'huile chaude pendant à peine 1 min. Elles doivent juste chauffer, sans se décomposer.

4 Ajoutez les pâtes, puis la ro-quette. Faites chauffer en mélan-geant délicatement. Salez et poivrez avant de servir, décoré de copeaux de parmesan.

Fettuccine all'Alfredo

Dans cette spécialité romaine, les pâtes sont simplement mélangées à la crème fraîche, au beurre et au parmesan. On y ajoute souvent des petits pois et du jambon en lamelles.

INGRÉDIENTS

Pour 4 personnes

2 c. à soupe de beurre

150 ml/⅔ tasse de crème fraîche épaisse,
   plus 4 c. à soupe

450 g/1 lb de fettuccine

50 g/½ tasse de parmesan, fraîchement râpé

sel et poivre noir moulu

noix muscade, fraîchement râpée

1 Mettez dans une casserole le beurre et 150 ml/⅔ tasse de crème. Portez à ébullition et laissez frémir 1 min., jusqu'à ce que la sauce épaississe légèrement.

2 Faites cuire les fettuccine *al dente*, dans une grande quantité d'eau bouillante salée, 2 min. de moins que le temps indiqué sur le paquet.

3 Égouttez soigneusement et ajoutez à la sauce.

4 Posez la casserole sur le feu et mélangez intimement.

5 Incorporez 4 c. à soupe de crème, le parmesan, le sel, le poivre et un peu de noix muscade. Remuez bien en faisant chauffer. Servez aussitôt avec du parmesan.

Linguine au poivron et à la crème

Ici, la saveur douce de l'oignon rouge complète celle des poivrons.

Pour 4 personnes

1 poivron orange, évidé, épépiné et détaillé en dés

1 poivron jaune, évidé, épépiné et détaillé en dés

1 poivron rouge, évidé, épépiné et détaillé en dés

350 g/12 oz de linguine

2 c. à soupe d'huile d'olive

1 oignon rouge, émincé

1 gousse d'ail, hachée

2 c. à soupe de romarin frais, haché

150 ml/⅔ tasse de crème fraîche épaisse

sel et poivre noir moulu

branches de romarin frais, pour la décoration

5 Faites revenir l'oignon et l'ail pendant 5 min. dans l'huile chaude.

6 Ajoutez les poivrons, le romarin, et remuez pendant 5 min. à feu doux.

7 Incorporez la crème, puis faites chauffer doucement. Salez et poivrez.

8 Égouttez les pâtes soigneusement et mélangez à la sauce. Servez aussitôt, décoré de romarin.

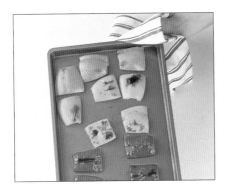

1 Préchauffez le gril à température élevée. Posez les poivrons sur une plaque de cuisson, la peau sur le dessus. Faites griller 5 à 10 min., jusqu'à ce que la peau se boursoufle et noircisse, en retournant de temps en temps.

2 Retirez les poivrons de la source de chaleur, couvrez avec un torchon propre et laissez reposer environ 5 min.

3 Pelez soigneusement les poivrons, puis détaillez en fines lamelles.

4 Faites cuire les pâtes *al dente*, dans une grande quantité d'eau bouillante salée, selon les instructions indiquées sur le paquet.

Spaghettis au poulet sauce piquante

Le concombre et les tomates apportent leur délicieuse fraîcheur à ce plat.

INGRÉDIENTS

Pour 4 personnes

1 oignon, finement haché

1 carotte, détaillée en dés

1 gousse d'ail, écrasée

300 ml/1 ¼ tasse de bouillon de légumes

4 blancs de poulet, sans peau et sans os

1 bouquet garni

115 g/4 oz de champignons de Paris, émincés

1 c. à café de vinaigre de vin ou de jus de citron

350 g/12 oz de spaghettis

½ concombre, pelé et détaillé en bâtonnets

2 tomates pelées, épépinées et concassées

2 c. à soupe de crème fraîche

1 c. à soupe de persil frais, haché

1 c. à soupe de ciboulette, ciselée

sel et poivre noir moulu

1 Mettez dans une casserole l'oignon, la carotte, l'ail, le bouillon, le poulet et le bouquet garni.

2 Portez à ébullition, couvrez et laissez frémir 15 à 20 min., jusqu'à ce que le poulet soit tendre. Mettez sur une assiette et couvrez de papier aluminium.

3 Sortez le poulet et filtrez le liquide. Jetez les légumes et versez le liquide dans la casserole. Ajoutez les champignons, le vinaigre ou le jus de citron, puis laissez frémir 2 à 3 min.

4 Faites cuire les spaghettis *al dente*, dans une grande quantité d'eau bouillante salée, selon les instructions indiquées sur le paquet. Égouttez.

5 Ébouillantez le concombre pendant 10 secondes. Égouttez et rincez sous l'eau froide.

6 Détaillez le poulet en menus morceaux. Faites bouillir le bouillon pour le réduire de moitié avant d'incorporer le poulet, les tomates, la crème fraîche, le concombre et les herbes. Salez et poivrez.

7 Dressez les spaghettis sur un plat de service chaud et posez dessus le poulet sauce piquante.

Torsades aux champignons et au chorizo

Un plat idéal pour le dîner, dans lequel les champignons sauvages s'associent à merveille à la saucisse épicée.

INGRÉDIENTS

Pour 4 personnes

350 g/12 oz de torsades (cavatappi)

4 c. à soupe d'huile d'olive

1 gousse d'ail, hachée

1 bâton de céleri, haché

225 g/8 oz de chorizo, émincé

225 g/8 oz de champignons sauvages mélangés

1 c. à soupe de jus de citron

2 c. à soupe d'origan frais, haché

sel et poivre noir moulu

persil frais, finement ciselé, pour la décoration

1 Faites cuire les pâtes *al dente*, dans une grande quantité d'eau bouillante salée, selon les instructions indiquées sur le paquet.

2 Faites revenir l'ail et le céleri pendant 5 min. dans l'huile chaude ; le céleri doit être ramolli, mais non doré.

ASTUCE

❧

Ce plat est encore plus délicieux, décoré de copeaux de parmesan. Vous pouvez mélanger n'importe quelle espèce de champignons pour confectionner la sauce.

3 Ajoutez le chorizo et faites dorer pendant 5 min., en remuant.

4 Incorporez les champignons et poursuivez la cuisson pendant 4 min., en remuant de temps en temps, jusqu'à ce qu'ils soient tendres.

5 Mélangez les autres ingrédients, assaisonnez puis faites chauffer.

6 Égouttez les pâtes soigneusement et dressez sur un plat de service. Mélangez à la sauce. Servez aussitôt, décoré de persil frais, finement ciselé.

Penne au poulet et au jambon

Cette préparation colorée peut constituer un plat unique.

INGRÉDIENTS

Pour 4 personnes

350 g/12 oz de penne

2 c. à soupe de beurre

1 oignon, haché

1 gousse d'ail, hachée

1 feuille de laurier

450 ml/1 ¾ tasse de vin blanc sec

150 ml/⅔ tasse de crème fraîche

225 g/8 oz de poulet cuit, sans peau et sans os, détaillé en dés

115 g/4 oz de jambon cuit, détaillé en dés

115 g/4 oz de gouda, râpé

1 c. à soupe de menthe fraîche, ciselée

sel et poivre noir moulu

menthe fraîche, ciselée, pour la décoration

1 Faites cuire les pâtes *al dente*, dans une grande quantité d'eau bouillante salée.

2 Faites revenir l'oignon pendant 10 min. dans le beurre chaud.

3 Ajoutez l'ail, le laurier, le vin, et portez à ébullition. Faites bouillir rapidement pour réduire de moitié. Retirez la feuille de laurier, puis versez la crème fraîche et portez de nouveau à ébullition.

4 Incorporez le poulet, le jambon, le gouda, et laissez frémir 5 min., en remuant.

5 Mélangez la menthe fraîche, puis assaisonnez.

6 Égouttez les pâtes soigneusement et dressez dans un grand saladier. Mélangez à la sauce, décorez de menthe fraîche ciselée et servez aussitôt.

Tagliatelles aux petits pois, aux asperges et aux haricots

La sauce aux petits pois se conjugue parfaitement avec les légumes tendres et croquants.

INGRÉDIENTS

Pour 4 personnes

1 c. à soupe d'huile d'olive

1 gousse d'ail, écrasée

6 petits oignons, émincés

225 g/2 tasses de petits pois surgelés, décongelés

350 g/12 oz de jeunes asperges fraîches

2 c. à soupe de sauge fraîche, hachée,
    plus quelques feuilles pour la décoration

zeste finement râpé de 2 citrons

450 ml/1 ¾ tasse de bouillon de légumes
    ou d'eau

225 g/2 tasses de fèves surgelées, décongelées

450 g/1 lb de tagliatelles

sel et poivre noir moulu

4 c. à soupe de yaourt nature allégé

1 Faites revenir l'ail et les oignons pendant 2 à 3 min. dans l'huile chaude.

2 Ajoutez les petits pois, 115 g/4 oz d'asperges, la sauge, le zeste de citron et le bouillon ou l'eau. Portez à ébullition, puis laissez frémir 10 min. Mixez dans un robot sous forme de purée.

3 Pendant ce temps, ôtez l'enveloppe externe des fèves et jetez.

4 Détaillez le reste des asperges en sections de 5 cm/2 po, en coupant les tiges fibreuses, puis ébouillantez pendant 2 min.

5 Faites cuire les tagliatelles *al dente*, dans une grande quantité d'eau bouillante salée, selon les instructions indiquées sur le paquet. Égouttez.

6 Ajoutez les asperges et les fèves dans la sauce, assaisonnez et réchauffez. Versez le yaourt et mélangez aux tagliatelles. Décorez de feuilles de sauge avant de servir.

Rigatoni aux noix de saint-jacques

Les délicates noix de saint-jacques apportent tout leur raffinement à cette préparation.

INGRÉDIENTS

Pour 4 personnes

350 g/12 oz de rigatoni

350 g/12 oz de noix de saint-jacques

3 c. à soupe d'huile d'olive

1 gousse d'ail, hachée

1 oignon, haché

2 carottes, détaillées en bâtonnets

2 c. à soupe de persil frais, ciselé

2 c. à soupe de vin blanc sec

2 c. à soupe de Pernod

150 ml/⅔ tasse de crème fraîche épaisse

sel et poivre noir moulu

1 Faites cuire les pâtes *al dente*, dans une grande quantité d'eau bouillante salée.

2 Préparez les noix de saint-jacques, en séparant le corail de la partie blanche.

3 Coupez le blanc en deux dans l'épaisseur.

4 Dans une poêle, faites revenir l'ail, l'oignon et les carottes pendant 5 à 10 min. dans l'huile chaude.

5 Ajoutez les noix de saint-jacques, le persil, le vin, le Pernod, et portez à ébullition. Laissez frémir 1 min., à couvert. Posez les noix de saint-jacques et les légumes sur une assiette, avec une écumoire, et gardez au chaud.

6 Portez de nouveau le fond de cuisson à ébullition pour le réduire de moitié. Versez la crème et faites chauffer la sauce.

7 Réchauffez les noix de saint-jacques et les légumes dans la poêle. Assaisonnez.

8 Égouttez les pâtes soigneusement avant de mélanger à la sauce. Servez aussitôt.

Tagliatelles au pesto de noisettes

Dans ce délicieux pesto, les noisettes remplacent les pignons de pin et apportent une saveur différente.

Pour 4 personnes

2 gousses d'ail, écrasées

25 g/1 tasse de feuilles de basilic frais

25 g/¼ tasse de noisettes

200 g/à peine 1 tasse de fromage frais allégé

225 g/8 oz de tagliatelles sèches
   ou 450 g/1 lb de fraîches

sel et poivre noir moulu

1 Dans un robot, mixez l'ail, le basilic, les noisettes et le fromage sous forme de pâte épaisse.

2 Faites cuire les tagliatelles *al dente*, dans une grande quantité d'eau bouillante salée, selon les instructions indiquées sur le paquet. Égouttez soigneusement.

3 Versez la sauce sur les pâtes et mélangez intimement. Saupoudrez de poivre noir et servez chaud.

Spaghettis au thon

Un plat rapide à préparer. Il est possible de le réaliser avec d'autres pâtes que les spaghettis.

Pour 4 personnes

225 g/8 oz de spaghettis secs ou 450 g/1 lb de frais

1 gousse d'ail, écrasée

400 g/14 oz de tomates concassées en conserve

425 g/15 oz de thon en conserve au naturel,
   effeuillé

½ c. à café de sauce au piment (facultatif)

4 olives noires dénoyautées, hachées

sel et poivre noir moulu

ASTUCE

Vous pouvez également
utiliser 450 g/1 lb de thon frais
en petits morceaux, et l'incorporer
après l'étape 2. Laissez frémir
6 à 8 min. avant d'ajouter
le piment, les olives et les pâtes.

1 Faites cuire les spaghettis *al dente*, dans une grande quantité d'eau bouillante salée, selon les instructions indiquées sur le paquet. Égouttez bien et gardez au chaud.

2 Mettez l'ail et les tomates dans une casserole et portez à ébullition. Laissez frémir 2 à 3 min., à découvert.

3 Ajoutez le thon, la sauce au piment, les olives et les spaghettis. Faites chauffer, salez, poivrez, et servez chaud.

Pâtes au pesto

Ne soyez pas avare de basilic pour parfumer cette merveilleuse sauce, avec laquelle ne peut rivaliser le pesto vendu dans le commerce.

INGRÉDIENTS

Pour 4 personnes

2 gousses d'ail

50 g/½ tasse de pignons de pin

40 g/1 tasse de feuilles de basilic frais

150 ml/⅔ tasse d'huile d'olive

4 c. à soupe de beurre, ramolli

4 c. à soupe de parmesan,
   fraîchement râpé

sel et poivre noir moulu

450 g/1 lb de spaghettis

1 Pelez l'ail et mixez dans un robot avec un peu de sel et les pignons de pin. Ajoutez le basilic, puis continuez à mixer sous forme de pâte.

2 Versez l'huile d'olive progressivement, jusqu'à ce que la préparation devienne crémeuse et épaisse.

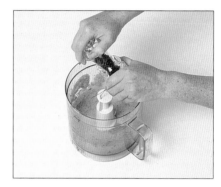

3 Incorporez le beurre, le parmesan, le sel et le poivre. Vous pouvez aussi préparer le pesto à la main, avec un pilon et un mortier.

4 Gardez le pesto dans un bocal, au réfrigérateur, après avoir versé un peu d'huile d'olive dessus pour chasser l'air.

5 Faites cuire les pâtes *al dente*, dans une grande quantité d'eau bouillante salée, selon les instructions indiquées sur le paquet. Égouttez soigneusement.

6 Mélangez les pâtes avec la moitié du pesto et servez dans des assiettes chaudes, en versant dessus le reste de pesto.

Spaghettis à la feta

Si les pâtes sont avant tout une spécialité italienne, les Grecs en consomment également beaucoup. Dans cette préparation simple, elles s'enrichissent de la saveur relevée de la feta.

Pour 2 à 3 personnes

115 g/4 oz de spaghettis

1 gousse d'ail

2 c. à soupe d'huile d'olive vierge extra

8 tomates-cerises, coupées en deux

sel et poivre noir moulu

un peu de noix muscade, fraîchement râpée

75 g/3 oz de feta, émiettée

1 c. à soupe de basilic frais, haché

quelques olives noires, pour la décoration
 (facultatif)

1 Faites cuire les spaghettis *al dente*, dans une grande quantité d'eau bouillante salée, selon les instructions indiquées sur le paquet. Égouttez soigneusement.

2 Faites chauffer doucement la gousse d'ail dans l'huile d'olive pendant 1 à 2 min., puis ajoutez les tomates-cerises.

3 Augmentez le feu pour faire rissoler les tomates pendant 1 min., puis jetez l'ail.

4 Mélangez les spaghettis, assaisonnez de sel, poivre et noix muscade. Incorporez ensuite la feta et le basilic.

5 Rectifiez l'assaisonnement, en tenant compte de la feta, souvent salée, et servez chaud, décoré d'olives noires.

DÎNERS

SANS

PRÉTENTION

Tortelli à la citrouille

En automne, les marchés du nord de l'Italie resplendissent de citrouilles qui entrent dans la composition des soupes et des plats de pâtes.

INGRÉDIENTS

Pour 6 à 8 personnes

1 kg/2 ¼ lb de citrouille (peau comprise)

75 g/1 ½ tasse de biscuits amaretti, écrasés

2 œufs

75 g/¾ tasse de parmesan, fraîchement râpé

1 pincée de noix muscade, fraîchement râpée

sel et poivre noir moulu

chapelure

feuilles de pâte préparée avec 3 œufs

Pour servir

115 g/½ tasse de beurre

75 g/¾ tasse de parmesan, fraîchement râpé

1 Préchauffez le four à 190 °C/ 375 °F/th. 5. Détaillez la citrouille en morceaux de 10 cm/4 po, en laissant la peau. Mettez dans une cocotte fermée et faites cuire 45 à 50 min. au four. Retirez la peau quand les morceaux sont froids. Mixez la chair sous forme de purée, dans un robot, ou pressez à travers une passoire avec une cuillère en bois.

2 Mélangez la purée de citrouille avec les biscuits écrasés, les œufs, le parmesan et la noix muscade. Salez et poivrez. Si la préparation est trop humide, ajoutez 1 à 2 c. à soupe de chapelure. Réservez.

3 Préparez la pâte. Étalez très finement les feuilles à la main ou à la machine. Ne laissez pas sécher avant de farcir.

4 Déposez des cuillerées à café de garniture tous les 6 cm/2 ½ po, en rangs espacés de 5 cm/2 po. Couvrez avec une autre feuille de pâte et appuyez délicatement. Découpez entre les rangées avec une roulette à pâtisserie pour former des rectangles farcis. Posez les tortelli sur une surface légèrement farinée et laissez sécher au moins 30 min., en retournant de temps en temps pour assécher les deux côtés.

5 Portez à ébullition une grande casserole d'eau salée. Faites chauffer le beurre très doucement, sans laisser noircir.

6 Plongez les tortelli dans l'eau bouillante et mélangez délicatement pour éviter qu'ils ne collent. Comptez 4 à 5 min. de cuisson. Égouttez et dressez sur des assiettes. Arrosez de beurre fondu, saupoudrez de parmesan et servez aussitôt.

Demi-lunes farcies

Ces demi-lunes, confectionnées avec de la pâte aux œufs, sont remplies d'un délicat mélange de fromages. Elles peuvent être servies comme entrée ou comme plat principal d'un dîner.

INGRÉDIENTS

Pour 6 à 8 personnes

225 g/1 ¼ tasse de ricotta fraîche
    ou de fromage frais

225 g/1 ¼ tasse de mozzarella

115 g/1 tasse de parmesan, fraîchement râpé

2 œufs

3 c. à soupe de basilic frais,
    finement haché

sel et poivre noir moulu

feuilles de pâte préparée avec 3 œufs

Pour la sauce

450 g/1 lb de tomates fraîches

2 c. à soupe d'huile d'olive

1 petit oignon, très finement haché

sel et poivre noir moulu

6 c. à soupe de crème fraîche

1 Pressez la ricotta ou le fromage frais à travers une passoire. Détaillez la mozzarella en tout petits dés. Mélangez les trois fromages dans un saladier avant d'ajouter les œufs et le basilic. Assaisonnez et réservez.

2 Pour préparer la sauce, ébouillantez les tomates pendant 1 min. Sortez-les et pelez-les avec un petit couteau pointu. Hachez les tomates finement. Faites revenir l'oignon à feu moyen dans l'huile chaude. Ajoutez les tomates et faites cuire 15 min. Salez et poivrez. (Vous pouvez filtrer la sauce dans une passoire pour la rendre plus onctueuse.) Réservez.

3 Préparez la pâte aux œufs. Étalez les feuilles très finement à la main ou à la machine. Ne laissez pas sécher avant de garnir.

4 Découpez des cercles d'environ 10 cm/4 po de diamètre avec un verre ou un emporte-pièce. Déposez une grande cuillerée à soupe de garniture sur une moitié de chaque cercle et repliez.

5 Soudez les bords avec une fourchette. Utilisez les morceaux de pâte restants pour confectionner d'autres cercles. Laissez sécher les demi-lunes au moins 10 à 15 min., puis retournez-les pour qu'elles sèchent uniformément.

6 Portez à ébullition une grande casserole d'eau salée. Pendant ce temps, faites chauffer doucement la sauce tomate dans une petite casserole. Versez la crème. Ne portez pas à ébullition.

7 Plongez doucement les pâtes farcies et remuez délicatement pour éviter qu'elles ne collent. Faites cuire 5 à 7 min. Sortez-les de l'eau, égouttez soigneusement et dressez sur des assiettes. Servez avec un peu de sauce.

Lasagnes aux légumes

La recette classique des lasagnes à la viande peut être adaptée avec succès en utilisant d'autres ingrédients. Ces lasagnes végétariennes se préparent avec des tomates et un mélange de champignons sauvages et cultivés.

INGRÉDIENTS

Pour 8 personnes

feuilles de pâte préparée avec 3 œufs

2 c. à soupe d'huile d'olive

1 oignon, très finement haché

500 g/1 ¼ lb de tomates fraîches
    ou en conserve, concassées

sel et poivre noir moulu

675 g/1 ½ lb de champignons cultivés
    ou sauvages, ou un mélange des deux

75 g/⅓ tasse de beurre

2 gousses d'ail, finement hachées

jus de ½ citron

1 litre/4 tasses de sauce béchamel

175 g/1 ½ tasse de parmesan ou de gruyère,
    fraîchement râpé, ou un mélange des deux

1 Beurrez un grand plat à four, de préférence carré ou rectangulaire.

2 Préparez la pâte aux œufs. Ne laissez pas sécher avant de découper en rectangles de 11 cm/4 ½ po de largeur et de la longueur du plat (pour assembler plus facilement la préparation).

3 Faites revenir l'oignon dans l'huile chaude. Ajoutez les tomates et remuez pendant 6 à 8 min. Salez et poivrez, puis réservez.

4 Essuyez délicatement les champignons avec un tissu humide. Émincez finement, puis faites cuire dans 3 c. à soupe de beurre fondu, jusqu'à ce qu'ils commencent à rejeter leur jus. Ajoutez l'ail et le jus de citron. Salez et poivrez. Poursuivez la cuisson jusqu'à ce que le liquide soit en partie évaporé et que les champignons commencent à dorer. Réservez.

5 Préchauffez le four à 200 °C/400 °F/ th. 6. Portez une grande casserole d'eau à ébullition, puis posez un saladier d'eau froide à côté de la cuisinière. Couvrez un grand plan de travail avec un torchon. Salez l'eau bouillante et plongez dedans 3 ou 4 rectangles de pâte. Faites cuire 30 secondes. Retirez avec une écumoire, puis laissez 30 secondes dans l'eau froide. Retirez et laissez séchez. Procédez de même avec le reste de pâte.

6 Pour assembler les lasagnes, couvrez le fond du plat de sauce béchamel. Disposez une couche de pâte dessus, en la coupant aux dimensions du plat. Couvrez avec une mince couche de champignons, puis de la sauce béchamel. Saupoudrez de fromage.

7 Posez une autre couche de pâte, étalez une mince couche de tomates et couvrez de béchamel. Saupoudrez de fromage. Continuez à alterner les couches dans le même ordre, en terminant avec de la pâte recouverte de béchamel. Limitez-vous à six épaisseurs de pâte. Remplissez les trous avec les morceaux de pâte restants. Saupoudrez de fromage et parsemez de beurre.

8 Faites cuire 20 min. au four. Laissez reposer 5 min. hors du four avant de servir.

Raviolis à la ricotta et aux épinards

Quel plaisir de confectionner soi-même ses raviolis et de les farcir de viande, de fromage ou de légumes ! Facile à réaliser, cette garniture est plus légère que la farce habituelle, à base de viande.

INGRÉDIENTS

Pour 4 personnes

400 g/14 oz d'épinards frais
    ou 175 g/6 oz de surgelés
175 g/¾ tasse de ricotta
1 œuf
50 g/½ tasse de parmesan, râpé
1 pincée de noix muscade, fraîchement râpée
sel et poivre noir moulu
feuilles de pâte préparée avec 3 œufs

Pour la sauce

75 g/⅓ tasse de beurre
5 à 6 branches de sauge fraîche

1 Lavez les épinards frais dans plusieurs eaux, puis mettez dans une casserole avec l'eau qui dégoutte des feuilles. Blanchissez pendant 5 min. à couvert, puis égouttez. Faites cuire les épinards surgelés selon les instructions indiquées sur le paquet. Pressez les épinards refroidis pour en extraire le jus, puis hachez finement.

2 Mélangez intimement les épinards avec la ricotta, l'œuf, le parmesan et la noix muscade. Salez et poivrez. Couvrez et réservez.

3 Préparez les feuilles de pâte. Étalez finement à la main ou à la machine. Ne laissez pas sécher avant de farcir.

4 Déposez de petites cuillerées à café de garniture sur la pâte, en rangées espacées de 5 cm/2 po. Couvrez avec une autre feuille de pâte, en appuyant légèrement pour chasser l'air.

5 Découpez entre les rangées avec une roulette à pâtisserie pour former de petits carrés farcis. Humectez les bords de lait ou d'eau et appuyez avec une fourchette pour les

souder. Laissez sécher les raviolis au moins 30 min. sur une surface farinée, en les retournant de temps en temps. Portez à ébullition une grande casserole d'eau salée.

6 Faites chauffer le beurre et la sauge à très petit feu, sans laisser le beurre noircir.

7 Plongez les raviolis dans l'eau bouillante et remuez délicatement pour éviter qu'ils ne collent. Comptez 4 à 5 min. de cuisson. Égouttez soigneusement avant de dresser sur des assiettes. Versez la sauce dessus et servez aussitôt.

Macaronis au fromage

Moins courante que d'autres plats de pâtes en Italie, cette délicieuse préparation est cependant connue dans le monde entier.

INGRÉDIENTS

Pour 6 personnes

475 ml/2 tasses de lait

1 feuille de laurier

3 morceaux de macis ou 1 pincée de noix
   muscade, râpée

4 c. à soupe de beurre

40 g/⅓ tasse de farine

sel et poivre noir moulu

175 g/1 ½ tasse de parmesan ou de cheddar,
   râpé, ou un mélange des deux

40 g/⅓ tasse de chapelure

450 g/1 lb de macaronis ou autres pâtes creuses

1 Préparez une sauce béchamel en faisant chauffer le lait avec la feuille de laurier et le macis, sans laisser bouillir. Faites fondre le beurre et mélangez la farine avec un fouet pendant 2 à 3 min., en veillant à ce que le beurre ne brûle pas. Filtrez le lait chaud en une seule fois dans la préparation, puis mélangez avec le fouet pour obtenir une consistance onctueuse. Portez la sauce à ébullition, en remuant sans arrêt, et poursuivez la cuisson pendant 4 à 5 min.

2 Assaisonnez de sel, poivre et de noix muscade si vous n'avez pas utilisé de macis. Ajoutez le fromage – gardez-en 2 c. à soupe – et faites fondre en remuant à feu doux. Couvrez la surface de la sauce de film alimentaire pour éviter la formation d'une peau, puis réservez.

3 Préchauffez le four à 200 °C/400 °F/ th. 6. Beurrez un plat à four et saupoudrez avec la moitié de la chapelure. Faites cuire les macaronis *al dente*, dans une grande quantité d'eau bouillante salée, selon les instructions indiquées sur le paquet.

4 Égouttez les pâtes et mélangez à la sauce. Versez dans le plat. Saupoudrez avec le reste de chapelure et de fromage, puis faites cuire 20 min. au four, jusqu'à ce que le dessus soit doré.

Pâtes au poivron et à la tomate

Vous pouvez enrichir cette sauce de légumes tels que haricots verts, courgettes, ou même de pois chiches.

INGRÉDIENTS

Pour 4 personnes

2 poivrons rouges

2 poivrons jaunes

3 c. à soupe d'huile d'olive

2 gousses d'ail, écrasées

1 oignon, émincé

½ c. à café de piment doux moulu

400 g/14 oz de tomates concassées en conserve

sel et poivre noir moulu

450 g/1 lb de conchiglie ou de fusilli

parmesan, fraîchement râpé, pour servir

1 Préchauffez le four à 200 °C/400 °F/th. 6. Posez les poivrons sur une plaque de cuisson et laissez 20 min. au four, jusqu'à ce qu'ils commencent à noircir. Ou bien faites-les griller jusqu'à ce qu'ils se boursouflent.

2 Retirez la peau des poivrons sous l'eau froide. Coupez en deux, épépinez et hachez grossièrement la chair.

3 Dans une casserole moyenne, faites blondir l'ail et l'oignon pendant 5 min. dans l'huile chaude.

4 Ajoutez le piment, puis faites chauffer 2 min., avant d'incorporer les tomates et les poivrons. Portez à ébullition et laissez frémir 10 à 15 min., jusqu'à ce que la sauce réduise et épaississe légèrement. Assaisonnez.

5 Faites cuire les pâtes *al dente*, dans une grande quantité d'eau bouillante salée, selon les instructions indiquées sur le paquet. Égouttez soigneusement et mélangez à la sauce. Servez très chaud, avec du parmesan râpé.

Tagliatelles aux noix

Cette sauce originale ajoutera un brin de raffinement à de simples pâtes.

INGRÉDIENTS

Pour 4 à 6 personnes

2 tranches épaisses de pain complet

300 ml/1 ¼ tasse de lait

275 g/2 ½ tasses de morceaux de noix

1 gousse d'ail, écrasée

50 g/½ tasse de parmesan, fraîchement râpé

6 c. à soupe d'huile d'olive, plus quelques gouttes pour mélanger aux pâtes

450 g/1 lb de tagliatelles

150 ml/⅔ tasse de crème fraîche (facultatif)

sel et poivre noir moulu

2 c. à soupe de persil frais, haché, pour la décoration

3 Mixez le pain, les noix, l'ail, le parmesan et l'huile d'olive dans un robot, jusqu'à obtention d'un mélange homogène. Salez, poivrez, puis versez la crème.

4 Faites cuire les tagliatelles *al dente*, dans une grande quantité d'eau bouillante salée, selon les instructions indiquées sur le paquet. Égouttez et mélangez avec un peu d'huile d'olive. Répartissez les pâtes sur les assiettes. Ajoutez une cuillerée de sauce et du persil sur chaque portion.

1 Retirez la croûte des tranches de pain et faites-les tremper dans le lait, jusqu'à ce qu'il soit absorbé.

2 Préchauffez le four à 190 °C/ 375 °F/th. 5. Étalez les noix sur une plaque de cuisson et faites griller 5 min. au four. Laissez refroidir.

Fusilli aux poivrons et aux oignons

Les poivrons sont très prisés dans le sud de l'Italie. Grillés et pelés, ils offrent une délicieuse saveur fumée et se digèrent plus facilement.

INGRÉDIENTS

Pour 4 personnes

450 g/1 lb de poivrons rouges et jaunes

6 c. à soupe d'huile d'olive

1 gros oignon rouge, finement émincé

2 gousses d'ail, émincées

400 g/14 oz de fusilli ou autres pâtes courtes

sel et poivre noir moulu

3 c. à soupe de persil frais, finement haché

parmesan, fraîchement râpé, pour servir

1 Posez les poivrons sous le gril chaud et retournez de temps en temps, jusqu'à ce qu'ils noircissent et se boursouflent de tous les côtés. Mettez ensuite 5 min. dans un sac en plastique fermé.

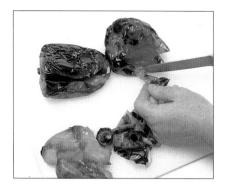

2 Pelez les poivrons. Coupez-les en quatre, retirez les queues, les graines, et détaillez en fines lamelles.

3 Faites blondir l'oignon 5 à 8 min., à feu moyen, dans l'huile chaude. Ajoutez l'ail et poursuivez la cuisson pendant 2 min.

4 Faites cuire les pâtes *al dente*, dans une grande quantité d'eau bouillante salée, selon les instructions indiquées sur le paquet. Attendez avant d'égoutter.

5 Pendant ce temps, mélangez délicatement les poivrons à l'oignon. Versez environ 3 c. à soupe de l'eau de cuisson des pâtes. Salez, poivrez et incorporez le persil frais.

6 Égouttez les pâtes. Mélangez aux légumes et faites chauffer 3 à 4 min. à feu moyen, en remuant sans arrêt. Servez accompagné de parmesan râpé, présenté séparément.

Raviolis au fromage et aux herbes

Dans cette recette, il est possible d'utiliser différentes herbes. Choisissez celles que vous avez sous la main.

INGRÉDIENTS

Pour 4 à 6 personnes

225 g/1 tasse de fromage frais, ramolli

1 gousse d'ail, finement hachée

2 c. à soupe d'herbes mélangées, finement hachées (thym, basilic, ciboulette, persil)

sel et poivre noir moulu

2 bandes de pâte fraîche de 30 cm/12 po préparées à la machine, ou 1 portion de pâte divisée en 4 et étalée à la main aussi finement que possible

semoule

115 g/½ tasse de beurre

1 Mélangez le fromage frais, l'ail et presque toutes les herbes. Salez et poivrez.

2 Préparez les raviolis, en les garnissant de préparation au fromage et aux herbes. Mélangez à la semoule et laissez reposer 15 min. à température ambiante.

3 Portez à ébullition une grande casserole d'eau salée. Plongez les raviolis dedans et faites cuire 7 à 9 min., jusqu'à ce qu'ils soient juste tendres. Égouttez soigneusement.

4 Faites fondre le beurre et mélangez aux raviolis. Saupoudrez avec le reste d'herbes et servez aussitôt.

VARIANTE

Pour préparer des raviolis au gorgonzola et aux pignons de pin, garnissez-les avec un mélange composé de 115 g/½ tasse de gorgonzola émietté et de la même quantité de fromage frais. N'ajoutez pas d'ail ni d'herbes. Parsemez les raviolis cuits de 25 g/¼ tasse de pignons de pin grillés à la place des herbes.

Pâtes aux courgettes et aux noix

Dans cette recette, les légumes cuisent doucement pour imprégner la préparation de leur saveur.

INGRÉDIENTS

Pour 4 personnes

5 c. à soupe de beurre

1 gros oignon, coupé en deux
    et finement émincé

450 g/1 lb de courgettes, finement émincées

375 g/12 oz de pâtes courtes (penne, ziti, rotini,
    fusilli)

50 g/½ tasse de noix, grossièrement hachées

3 c. à soupe de persil frais, haché

2 c. à soupe de crème fraîche

sel et poivre noir moulu

parmesan, fraîchement râpé, pour servir

1 Faites fondre le beurre dans une poêle. Ajoutez l'oignon, couvrez et laissez cuire 5 min., jusqu'à ce qu'il devienne translucide, puis incorporez les courgettes.

2 Mélangez bien, couvrez de nouveau et laissez sur le feu, en remuant de temps en temps, jusqu'à ce que les légumes soient tendres.

3 Faites cuire les pâtes *al dente*, dans une grande quantité d'eau bouillante salée, selon les instructions indiquées sur le paquet.

4 Pendant la cuisson des pâtes, mélangez les noix, le persil et la crème à la préparation aux courgettes. Salez et poivrez.

5 Égouttez les pâtes et remettez dans la poêle. Mélangez la sauce aux courgettes. Servez aussitôt, en présentant le parmesan séparément.

Penne aux brocolis et au piment

Vous pouvez retirez les graines du piment pour qu'il soit moins fort.

INGRÉDIENTS

Pour 4 personnes

350 g/12 oz de penne

450 g/1 lb de petits bouquets de brocolis

2 c. à soupe de bouillon

1 gousse d'ail, écrasée

1 petit piment rouge émincé,
    ou ½ c. à café de sauce au piment

4 c. à soupe de yaourt allégé

sel et poivre noir moulu

2 c. à soupe de pignons de pin
    ou de noix de cajou, grillés

1 Jetez les pâtes dans une grande casserole d'eau bouillante salée et portez à ébullition. Posez les brocolis dessus dans un panier à vapeur. Couvrez et faites cuire 8 à 10 min., jusqu'à ce que les pâtes et les brocolis soient tendres. Égouttez soigneusement.

2 Faites chauffer le bouillon, puis mélangez l'ail et le piment ou la sauce au piment pendant 2 à 3 min. à feu doux.

3 Incorporez les brocolis, les pâtes et le yaourt. Rectifiez l'assaisonnement, parsemez de pignons ou de noix et servez chaud.

Spaghettis aux boulettes de viande

Un repas italien serait incomplet sans boulettes de viande. Vous pouvez accompagner celles-ci de salade verte.

INGRÉDIENTS

Pour 4 personnes

Pour les boulettes de viande

1 oignon, haché

1 gousse d'ail, hachée

350 g/3 tasses d'agneau, haché

1 jaune d'œuf

1 c. à soupe d'herbes séchées, mélangées

sel et poivre noir moulu

1 c. à soupe d'huile d'olive

Pour la sauce

300 ml/1 ¼ tasse de passata

2 c. à soupe de basilic frais, haché

1 gousse d'ail, hachée

sel et poivre noir moulu

350 g/12 oz de spaghettis

branches de romarin frais, pour la décoration

parmesan, fraîchement râpé, pour servir

1 Pour préparer les boulettes de viande, mélangez bien l'oignon, l'ail, l'agneau, le jaune d'œuf, les herbes et l'assaisonnement.

2 Divisez la préparation en 20 portions que vous façonnez sous forme de boulettes. Posez sur une plaque de cuisson, couvrez de film alimentaire et laissez au moins 30 min. au réfrigérateur.

3 Faites rissoler les boulettes de viande 10 min. dans l'huile chaude, en les retournant de temps en temps.

4 Ajoutez la passata, le basilic, l'ail, l'assaisonnement et portez à ébullition. Laissez frémir 20 min. à couvert, jusqu'à ce que les boulettes soient tendres.

5 Pendant ce temps, faites cuire les spaghettis *al dente*, dans une grande quantité d'eau bouillante salée, selon les instructions indiquées sur le paquet. Égouttez soigneusement et dressez sur quatre assiettes. Posez dessus les boulettes et un peu de sauce. Décorez de romarin et servez aussitôt avec du parmesan, présenté séparément.

Salade de pâtes tiède

Faites cuire des pâtes, mélangez à de la vinaigrette et à des légumes frais. Vous obtenez une délicieuse salade tiède.

INGRÉDIENTS

Pour 2 personnes

115 g/4 oz de pâtes (conchiglie)

3 c. à soupe de vinaigrette

3 tomates séchées à l'huile, hachées

2 petits oignons, émincés

25 g/1 oz de cresson ou de roquette, haché

¼ concombre coupé en deux, épépiné et émincé

sel et poivre noir moulu

environ 40 g/1 ½ oz de pecorino, grossièrement râpé, pour la décoration

1 Faites cuire les pâtes *al dente*, dans une grande quantité d'eau bouillante salée, selon les instructions indiquées sur le paquet. Égouttez et mélangez à la vinaigrette.

2 Incorporez les tomates, les oignons, le cresson ou la roquette et le concombre, puis assaisonnez.

3 Répartissez la préparation sur deux assiettes et saupoudrez de fromage. Servez à température ambiante.

Penne aux pois chiches et à la tomate

On trouve dans le commerce des tomates et des pois chiches en conserve de très bonne qualité, qui permettent d'improviser en quelques minutes un plat rafraîchissant.

INGRÉDIENTS

Pour 3 à 4 personnes

225 g/8 oz de penne

1 oignon, émincé

1 poivron rouge, épépiné et émincé

2 c. à soupe d'huile d'olive

400 g/14 oz de tomates concassées en conserve

425 g/15 oz de pois chiches en conserve

2 c. à soupe de vermouth sec (facultatif)

1 c. à café d'origan séché

1 grande feuille de laurier

2 c. à soupe de câpres

sel et poivre noir moulu

1 Faites cuire les pâtes *al dente*, dans une grande quantité d'eau bouillante salée, selon les instructions indiquées sur le paquet. Égouttez. Faites rissoler l'oignon et le poivron dans l'huile pendant 5 min., en remuant de temps en temps.

2 Ajoutez les tomates, les pois chiches avec leur jus, le vermouth, les herbes et les câpres.

3 Assaisonnez et portez à ébullition, puis laissez frémir 10 min. Retirez la feuille de laurier avant de mélanger les pâtes, réchauffez et servez aussitôt.

Spaghettis à la sauce tomate

Les anchois relèvent agréablement cette sauce, sans la dénaturer par leur saveur trop salée.

Pour 4 personnes

3 c. à soupe d'huile d'olive

1 grosse gousse d'ail, hachée

1 oignon, haché

400 g/14 oz de tomates concassées aux herbes, en conserve

4 c. à soupe de vin blanc sec

350 g/12 oz de spaghettis

1 à 2 c. à café de sucre roux

50 g/2 oz de filets d'anchois à l'huile en conserve

115 g/4 oz de pepperoni (saucisse), haché

1 c. à soupe de basilic frais, haché

sel et poivre noir moulu

branches de basilic, pour la décoration

1 Faites blondir l'ail et l'oignon pendant 2 min. dans l'huile chaude. Ajoutez les tomates et le vin, portez à ébullition et laissez frémir doucement 10 à 15 min. Faites cuire les spaghettis *al dente*, dans une grande quantité d'eau bouillante salée, selon les instructions indiquées sur le paquet.

2 Après 10 min. de cuisson, incorporez dans la sauce le sucre et les filets d'anchois, égouttés et hachés. Mélangez bien, puis poursuivez la cuisson pendant 5 min.

3 Égouttez les pâtes et mélangez avec quelques gouttes d'huile. Ajoutez le pepperoni, le basilic et assaisonnez. Servez avec la sauce tomate, décoré de basilic.

Tortellinis sauce au fromage

Rapide à préparer, cette sauce au fromage onctueuse doit être consommée bien chaude, avant qu'elle commence à épaissir. Vous pouvez également la confectionner avec du bleu.

Pour 4 personnes

450 g/1 lb de tortellinis frais

115 g/½ tasse de ricotta ou de fromage frais

4 à 6 c. à soupe de lait

50 g/½ tasse de saint-paulin ou de mozzarella, râpé

50 g/½ tasse de parmesan, râpé

2 gousses d'ail, écrasées

2 c. à soupe d'herbes fraîches mélangées, hachées (persil, ciboulette, basilic, origan)

sel et poivre noir moulu

1 Faites cuire les tortellinis *al dente*, dans une grande quantité d'eau bouillante salée, selon les instructions indiquées sur le paquet, en remuant de temps en temps.

2 Pendant ce temps, faites fondre la ricotta ou le fromage frais avec le lait. Ajoutez ensuite le saint-paulin ou la mozzarella, la moitié du parmesan, l'ail et les herbes.

3 Égouttez les pâtes et mélangez à la sauce. Laissez chauffer doucement 1 à 2 min., jusqu'à ce que les fromages fondent. Assaisonnez. Servez saupoudré du reste de parmesan.

Spaghettis à l'aubergine et à la tomate

Un plat tout indiqué pour le dîner,
délicieux accompagné de mange-tout.

Pour 4 personnes

3 petites aubergines

huile d'olive

450 g/1 lb de spaghettis

1 portion de sauce tomate (voir Lasagnes
   fantaisie)

225 g/8 oz de fromage (fontina), râpé

sel et poivre noir moulu

2 Rincez les aubergines sous l'eau froide. Égouttez et essuyez sur du papier absorbant.

3 Faites rissoler les rondelles d'aubergines en plusieurs fois pendant 5 min. dans l'huile chaude, en les retournant.

1 Coupez la queue des aubergines avant de détailler en fines rondelles. Mettez dans une passoire, en saupoudrant généreusement de sel. Laissez dégorger pendant 30 min.

4 Pendant ce temps, faites cuire les spaghettis *al dente*, dans une grande quantité d'eau bouillante salée, selon les instructions indiquées sur le paquet.

5 Mélangez la sauce tomate aux aubergines et portez à ébullition. Couvrez, puis laissez frémir 5 min.

6 Incorporez le fromage, le sel, le poivre, et continuez à remuer à feu moyen, jusqu'à ce que le fromage fonde.

7 Égouttez les pâtes et mélangez à la sauce. Servez aussitôt.

Pâtes à la viande et au fromage

Les deux sauces se complètent parfaitement dans ce plat très savoureux.

INGRÉDIENTS

Pour 4 personnes

350 g/12 oz de rigatoni

basilic frais, pour la décoration

Pour la sauce à la viande

1 c. à soupe d'huile d'olive

350 g/3 tasses de bœuf, haché

1 oignon, haché

1 gousse d'ail, hachée

400 g/14 oz de tomates concassées en conserve

1 c. à soupe d'herbes mélangées, séchées

2 c. à soupe de concentré de tomates

Pour la sauce au fromage

50 g/¼ tasse de beurre

50 g/½ tasse de farine

450 ml/1 ¾ tasse de lait

2 jaunes d'œufs

50 g/½ tasse de parmesan, fraîchement râpé

sel et poivre noir moulu

1 Pour préparer la sauce à la viande, faites rissoler le bœuf pendant 10 min. dans l'huile chaude, en remuant de temps en temps. Ajoutez l'oignon et faites cuire 5 min., en tournant.

2 Incorporez l'ail, les tomates, les herbes et le concentré de tomates. Portez à ébullition, puis laissez frémir 30 min., à couvert.

3 Pendant ce temps, préparez la sauce au fromage. Faites fondre le beurre dans une casserole, ajoutez la farine en remuant pendant 2 min.

4 Versez progressivement le lait hors du feu. Remettez sur le feu et portez à ébullition, en remuant, jusqu'à ce que la sauce épaississe.

5 Ajoutez les jaunes d'œufs, le fromage, l'assaisonnement, et mélangez intimement.

6 Préchauffez le gril. Faites cuire les pâtes *al dente*, dans une grande quantité d'eau bouillante salée, selon les instructions indiquées sur le paquet. Égouttez soigneusement et mettez dans un grand saladier. Versez la sauce à la viande et remuez.

7 Répartissez les pâtes dans quatre petits plats à four. Nappez de sauce au fromage et faites dorer sous le gril. Servez aussitôt, décoré de basilic frais.

Linguine aux palourdes, aux poireaux et à la tomate

Des coquillages en conserve permettent de réaliser rapidement cette préparation.

INGRÉDIENTS

Pour 4 personnes

350 g/12 oz de linguine

2 c. à soupe de beurre

2 poireaux, finement émincés

150 ml/⅔ tasse de vin blanc sec

4 tomates pelées, épépinées et concassées

1 pincée de curcuma (facultatif)

250 g/9 oz de palourdes en conserve, égouttées

2 c. à soupe de basilic frais, ciselé

4 c. à soupe de crème fraîche

sel et poivre noir moulu

1 Faites cuire les pâtes *al dente*, dans une grande quantité d'eau bouillante salée.

2 Pendant ce temps, faites rissoler les poireaux 5 min. dans le beurre fondu, jusqu'à ce qu'ils soient tendres.

3 Ajoutez le vin, les tomates, le curcuma, puis faites bouillir pour réduire la préparation de moitié.

4 Incorporez les palourdes, le basilic, la crème fraîche, l'assaisonnement, et faites chauffer doucement sans laisser bouillir.

5 Égouttez les pâtes soigneusement et mélangez à la sauce. Servez aussitôt.

Macaronis aux gambas et au jambon

La chicorée rouge, cuite, apporte une note originale à cette sauce.

INGRÉDIENTS

Pour 4 personnes

350 g/12 oz de macaronis

3 c. à soupe d'huile d'olive

12 gambas crues, décortiquées

1 gousse d'ail, hachée

175 g/1 bonne tasse de jambon fumé, détaillé en dés

150 ml/⅔ tasse de vin rouge

½ petite chicorée rouge, coupée en chiffonnade

2 jaunes d'œufs, battus

2 c. à soupe de persil plat frais, ciselé

150 ml/⅔ tasse de crème fraîche

sel et poivre noir moulu

basilic frais, ciselé, pour la décoration

1 Faites cuire les macaronis *al dente*, dans une grande quantité d'eau bouillante salée, selon les instructions indiquées sur le paquet.

2 Pendant ce temps, faites rissoler les gambas, l'ail et le jambon 5 min. dans l'huile chaude, en remuant de temps en temps, jusqu'à ce que les gambas soient tendres. Évitez de trop les cuire.

3 Ajoutez le vin et la chicorée, puis faites bouillir rapidement jusqu'à ce que le liquide réduise de moitié.

4 Incorporez les jaunes d'œufs, le persil, la crème, et portez presque à ébullition, en remuant sans arrêt. Laissez frémir, jusqu'à ce que la sauce épaississe légèrement. Rectifiez si besoin l'assaisonnement.

5 Égouttez les pâtes soigneusement et mélangez à la sauce. Servez aussitôt, décoré de basilic.

Penne à l'aubergine et au pesto de menthe

Dans cette délicieuse variante du pesto italien classique, la menthe fraîche remplace le basilic.

INGRÉDIENTS

Pour 4 personnes

2 grosses aubergines

450 g/1 lb de penne

50 g/½ tasse de cerneaux de noix

Pour le pesto

25 g/1 oz de menthe fraîche

15 g/½ oz de persil plat

40 g/à peine ½ tasse de noix

40 g/1 ½ oz de parmesan, finement râpé

2 gousses d'ail

6 c. à soupe d'huile d'olive

sel et poivre noir moulu

1 Détaillez les aubergines en tranches de 1 cm/½ po dans la longueur.

2 Coupez ensuite les tranches dans la largeur.

3 Posez les morceaux d'aubergines dans une passoire, saupoudrez de sel et laissez dégorger 30 min. Rincez bien sous l'eau froide, puis égouttez soigneusement.

4 Réunissez dans un robot tous les ingrédients du pesto, sauf l'huile. Mixez pour obtenir une consistance lisse, puis versez l'huile en mince filet, jusqu'à obtention d'une préparation homogène. Assaisonnez.

5 Faites cuire les penne *al dente*, pendant 8 min., dans une grande quantité d'eau bouillante salée. Ajoutez les morceaux d'aubergines et poursuivez la cuisson pendant 3 min.

6 Égouttez les pâtes soigneusement avant de mélanger au pesto et aux noix. Servez aussitôt.

Chow mein

L'un des plats de nouilles chinois les plus renommés.

INGRÉDIENTS

Pour 4 personnes

225 g/8 oz de nouilles chinoises aux œufs

2 c. à soupe d'huile

1 oignon, haché

1 morceau de gingembre de 1 cm/½ po, haché

2 gousses d'ail, écrasées

50 ml/¼ tasse de vin blanc sec

2 c. à soupe de sauce de soja

2 c. à café de cinq-épices chinois moulu

450 g/4 tasses de porc, haché

4 petits oignons, émincés

50 g/2 oz de girolles

75 g/3 oz de pousses de bambou

1 c. à soupe d'huile de sésame

beignets aux crevettes, pour servir

1 Faites cuire les nouilles 4 min. dans l'eau bouillante, puis égouttez.

2 Faites revenir l'oignon, le gingembre, l'ail, le vin et la sauce de soja pendant 1 min. dans l'huile chaude. Assaisonnez avec le cinq-épices.

3 Ajoutez le porc et remuez pendant 10 min. Incorporez les oignons, les champignons, les pousses de bambou, puis poursuivez la cuisson pendant 5 min.

4 Mélangez intimement les nouilles et l'huile de sésame aux autres ingrédients, et servez aussitôt avec les beignets aux crevettes.

Macaronis au fromage et aux champignons

Grand classique des plats de pâtes, les macaronis au fromage s'accompagnent ici d'une sauce aux champignons et de pignons de pin.

| INGRÉDIENTS |

Pour 4 personnes

450 g/1 lb de macaronis à cuisson rapide

3 c. à soupe d'huile d'olive

225 g/8 oz de champignons de Paris, émincés

2 branches de thym

4 c. à soupe de farine

1 cube de bouillon de légumes

600 ml/2 ½ tasses de lait

½ c. à café de sel de céleri

1 c. à café de moutarde

175 g/1 ½ tasse de gruyère, râpé

sel et poivre noir moulu

25 g/¼ tasse de parmesan, râpé

2 c. à soupe de pignons de pin

1 Faites cuire les macaronis *al dente*, dans une grande quantité d'eau bouillante salée, selon les instructions indiquées sur le paquet.

ASTUCE

Les champignons de Paris blancs sont préférables pour les sauces, les variétés roses leur donnant une couleur peu appétissante.

2 Faites mijoter les champignons et le thym à couvert pendant 2 à 3 min. dans l'huile chaude. Ajoutez la farine, puis le cube de bouillon, hors du feu, et mélangez soigneusement. Versez le lait progressivement, en remuant après chaque addition. Incorporez le sel de céleri, la moutarde, le gruyère, et assaisonnez. Mélangez et laissez frémir 1 à 2 min., jusqu'à ce que la sauce épaississe.

3 Préchauffez le gril à chaleur moyenne. Égouttez les macaronis et mélangez à la sauce. Dressez sur quatre plats individuels ou un grand plat à gratin. Saupoudrez de parmesan et de pignons de pin avant de faire dorer sous le gril.

Pâtes aux légumes grillés

Plusieurs espèces de légumes grillés composent ici une sauce succulente.

INGRÉDIENTS

Pour 4 personnes

1 gros oignon

1 aubergine

2 courgettes

2 poivrons, de préférence rouges ou jaunes, épépinés

450 g/1 lb de tomates, si possible des olivettes

2 à 3 gousses d'ail, grossièrement hachées

4 c. à soupe d'huile d'olive

sel et poivre noir moulu

300 ml/1 ¼ tasse de sauce tomate

50 g/2 oz d'olives noires, dénoyautées et coupées en deux

375 à 450 g/12 oz à 1 lb de penne

15 g/½ oz de basilic frais, ciselé, pour la décoration

parmesan ou pecorino, fraîchement râpé, pour servir

1 Préchauffez le four à 240 °C/475 °F/ th. 9. Coupez l'oignon, l'aubergine, les courgettes, les poivrons et les tomates en morceaux de 2,5 à 4 cm/1 à 1 ½ po. Retirez les graines des tomates.

2 Posez les légumes sur une grande plaque de cuisson. Saupoudrez d'ail et arrosez d'huile, puis mélangez soigneusement. Salez et poivrez.

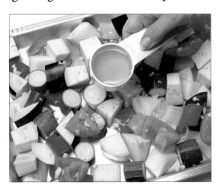

3 Faites cuire les légumes environ 30 min. au four, jusqu'à ce qu'ils soient dorés (les bords ont tendance à noircir). Remuez au bout de 15 min. de cuisson.

4 Mettez ensuite les légumes dans une casserole avec la sauce tomate et les olives.

5 Faites cuire les pâtes *al dente*, dans une grande quantité d'eau bouillante salée, selon les instructions indiquées sur le paquet.

6 Pendant ce temps, faites chauffer la sauce aux légumes. Rectifiez si besoin l'assaisonnement.

7 Égouttez les pâtes et remettez dans la casserole. Mélangez la sauce. Servez chaud, saupoudré de basilic. Vous pouvez présenter séparément du parmesan ou du pecorino, fraîchement râpé.

Spaghettis aux moules et au safran

Une sauce aux moules, rehaussée par la couleur jaune des stigmates de safran, accompagne ces pâtes. Du safran moulu fera tout aussi bien l'affaire, mais évitez le curcuma, trop fort.

INGRÉDIENTS

Pour 4 personnes

900 g/2 lb de moules vivantes, dans leur coquille

150 ml/⅔ tasse de vin blanc sec

2 échalotes, finement hachées

2 c. à soupe de beurre

2 gousses d'ail, écrasées

2 c. à café de Maïzena

300 ml/1 ¼ tasse de crème fraîche

1 pincée de stigmates de safran

sel et poivre noir moulu

jus de ½ citron

1 jaune d'œuf

450 g/1 lb de spaghettis

persil frais, ciselé, pour la décoration

1 Grattez les moules et rincez soigneusement. Retirez le byssus, puis laissez les moules tremper 30 min. dans l'eau froide. Tapez sur chaque moule et jetez celles qui restent ouvertes.

2 Égouttez les moules, puis mettez dans une grande casserole avec le vin et les échalotes. Faites cuire à couvert et à feu vif, pendant 5 à 10 min., en secouant la casserole, jusqu'à ce que les moules s'ouvrent. Jetez celles qui restent fermées.

3 Égouttez les moules à travers une passoire et réservez le jus. Sortez presque toutes les moules de leur coquille – gardez-en quelques-unes entières pour la décoration. Faites bouillir rapidement le jus réservé, jusqu'à ce qu'il réduise de moitié.

4 Dans une autre casserole, faites blondir l'ail dans le beurre fondu. Ajoutez la Maïzena, puis le jus de cuisson et la crème, progressivement. Incorporez le safran, assaisonnez et laissez frémir, jusqu'à ce que la sauce épaississe.

5 Mélangez le jus de citron, puis le jaune d'œuf et les moules. Gardez au chaud, sans faire bouillir.

6 Faites cuire les spaghettis *al dente*, dans une grande quantité d'eau bouillante salée. Égouttez. Mélangez les moules aux spaghettis, garnissez avec les moules réservées et saupoudrez de persil. Servez avec du pain croustillant.

Papillotes de tagliatelles aux crevettes

Un plat rapide à préparer, au résultat spectaculaire, que vous pourrez confectionner à l'avance et faire cuire à la dernière minute. Lorsque les papillotes seront ouvertes par vos convives, leurs parfums subtils s'exhaleront.

INGRÉDIENTS

Pour 4 personnes

750 g/1 ¾ lb de crevettes crues, entières

450 g/1 lb de tagliatelles ou autres pâtes longues

150 ml/⅔ tasse de pesto maison ou en bocal

4 c. à café d'huile d'olive

1 gousse d'ail, écrasée

sel et poivre noir moulu

120 ml/½ tasse de vin blanc sec

1 Préchauffez le four à 200 °C/400 °F/ th. 6. Jetez la tête des crevettes.

2 Faites cuire les tagliatelles 2 min. dans une grande quantité d'eau bouillante salée, puis égouttez. Mélangez à la moitié du pesto.

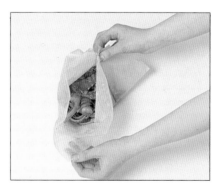

3 Découpez quatre carrés de papier sulfurisé de 30 cm/12 po et versez au centre de chacun 1 c. à café d'huile d'olive. Répartissez les pâtes dans les quatre carrés.

4 Posez dessus la même quantité de crevettes, puis répartissez le reste de pesto mélangé à l'ail. Poivrez et arrosez de vin.

5 Humectez d'eau les bords du papier et repliez-les sur la garniture, en entortillant les extrémités.

6 Posez les papillotes sur une plaque de cuisson et faites cuire 10 à 15 min. au four. Servez aussitôt, en laissant les convives ouvrir eux-mêmes leur papillote.

Raviolis à la coriandre farcis de citrouille

Cette surprenante pâte aux herbes est farcie d'une succulente garniture à la citrouille et à l'ail.

INGRÉDIENTS

Pour 4 à 6 personnes

200 g/à peine 1 tasse de farine blanche

2 œufs

1 pincée de sel

3 c. à soupe de coriandre fraîche, ciselée

branches de coriandre, pour la décoration

Pour la farce

4 gousses d'ail, non pelées

450 g/1 lb de citrouille, pelée et épépinée

115 g/½ tasse de ricotta

4 tomates séchées à l'huile d'olive, égouttées
     et finement hachées, plus 2 c. à soupe
     de l'huile

poivre noir moulu

2 Posez la pâte sur une planche légèrement farinée, puis pétrissez pendant 5 min. Enveloppez de film alimentaire et laissez reposer 20 min. au réfrigérateur.

4 Divisez la pâte en quatre portions et appuyez légèrement dessus. Aplatissez les pâtons avec une machine à pâtes réglée sur l'épaisseur minimale. Laissez sécher légèrement les feuilles de pâte sur un torchon propre.

1 Mettez dans un robot la farine, les œufs, le sel, la coriandre, et mixez jusqu'à obtention d'un mélange homogène.

3 Préchauffez le four à 200 °C/ 400 °F/ th. 6 et faites cuire les gousses d'ail 10 min. sur une plaque de cuisson, jusqu'à ce qu'elles ramollissent. Faites cuire la citrouille 5 à 8 min. à la vapeur, puis égouttez soigneusement. Pelez les gousses d'ail et mélangez à la ricotta et aux tomates, en écrasant avec un presse-purée. Poivrez généreusement.

5 Découpez 36 cercles dans la pâte avec un emporte-pièce rond et cannelé de 7,5 cm/3 po.

6 Déposez sur 18 cercles une cuillerée à café de garniture, humectez les bords d'eau et couvrez avec un autre cercle de pâte. Appuyez délicatement sur les bords pour les souder. Faites cuire les raviolis 3 à 4 min. dans une grande quantité d'eau bouillante salée. Égouttez soigneusement et mélangez à l'huile des tomates. Servez aussitôt, décoré de coriandre.

Pâtes au pesto allégé

Ce pesto préparé sans huile d'olive, contrairement à la tradition, n'en est pas moins savoureux.

INGRÉDIENTS

Pour 4 personnes

225 g/8 oz de pâtes (fusilli)

50 g/1 tasse de feuilles de basilic frais

25 g/½ tasse de persil

1 gousse d'ail, écrasée

25 g/¼ tasse de pignons de pin

115 g/½ tasse de fromage frais

2 c. à soupe de parmesan, fraîchement râpé

sel et poivre noir moulu

branches de basilic frais, pour la décoration

1 Faites cuire les pâtes *al dente*, dans une grande quantité d'eau bouillante salée, pendant 8 à 10 min. Égouttez soigneusement.

2 Pendant ce temps, mettez dans un robot la moitié du basilic et du persil, l'ail, les pignons de pin et le fromage frais, puis mixez pour obtenir une consistance homogène.

3 Ajoutez le reste de basilic et de persil, le parmesan et l'assaisonnement. Continuez à mixer, jusqu'à ce que les herbes soient finement hachées.

4 Mélangez les pâtes au pesto et servez sur des assiettes chaudes. Décorez de basilic.

Lasagnes aux épinards et aux noisettes

Pour cuisiner ce plat nourrissant à base de légumes, choisissez des épinards surgelés – comptez 450 g/1 lb – si vous êtes à court de temps.

INGRÉDIENTS

Pour 4 personnes

900 g/2 lb d'épinards frais

300 ml/1 ¼ tasse de bouillon de légumes
ou de poule

1 gousse d'ail, écrasée

1 oignon, finement haché

75 g/¾ tasse de noisettes

2 c. à soupe de basilic frais, haché

6 feuilles de lasagne

400 g/14 oz de tomates concassées en conserve

200 g/à peine 1 tasse de fromage frais allégé

noisettes effilées et persil haché,
pour la décoration

1 Préchauffez le four à 200 °C/400 °F/ th. 6. Lavez les épinards, puis mettez dans une poêle avec l'eau qui dégoutte des feuilles. Faites cuire 2 min. à feu vif. Égouttez soigneusement.

2 Faites chauffer 2 c. à soupe de bouillon dans une grande casserole et laissez frémir l'ail et l'oignon, jusqu'à ce qu'ils ramollissent. Incorporez les épinards, les noisettes et le basilic.

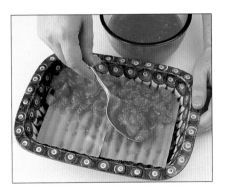

3 Dressez les épinards, les lasagnes et les tomates en couches alternées dans un grand plat à four, en assaisonnant bien chaque épaisseur. Versez dessus le reste de bouillon, puis couvrez avec le fromage frais.

4 Faites cuire les lasagnes 45 min. au four, jusqu'à ce que le dessus soit doré. Servez chaud, saupoudré de noisettes et de persil.

Tagliatelles au gorgonzola

Le gorgonzola est un fromage bleu italien, à consistance crémeuse. Vous pouvez le remplacer par une autre variété de bleu.

INGRÉDIENTS

Pour 4 personnes

2 c. à soupe de beurre

225 g/8 oz de gorgonzola

150 ml/⅔ tasse de crème fraîche

2 c. à soupe de vermouth sec

1 c. à café de Maïzena

1 c. à soupe de sauge fraîche, hachée

sel et poivre noir moulu

450 g/1 lb de tagliatelles

1 Faites fondre le beurre dans une casserole à fond épais. Ajoutez 175 g/6 oz de gorgonzola émietté pendant 2 à 3 min. à feu doux, jusqu'à ce qu'il fonde.

2 Ajoutez la crème, le vermouth, la Maïzena, la sauge, le sel, le poivre et battez avec le fouet, en chauffant, jusqu'à ce que la sauce épaississe. Réservez.

3 Faites cuire les tagliatelles *al dente*, dans une grande quantité d'eau bouillante salée, selon les instructions indiquées sur le paquet. Égouttez soigneusement et mélangez avec un peu de beurre.

4 Réchauffez la sauce doucement, en fouettant vigoureusement. Dressez les pâtes sur quatre assiettes, nappez de sauce et saupoudrez avec le reste de fromage émietté. Servez aussitôt.

Pâtes à la tomate et à la crème

Dans cette recette, les pâtes s'accompagnent d'une sauce tomate riche.

INGRÉDIENTS

Pour 4 à 6 personnes

2 c. à soupe d'huile d'olive

2 gousses d'ail, écrasées

400 g/14 oz de tomates concassées en conserve

150 ml/⅔ tasse de crème fraîche

2 c. à soupe d'herbes fraîches, hachées
(basilic, origan, persil)

sel et poivre noir moulu

450 g/1 lb de pâtes

1 Dans une casserole moyenne, faites blondir l'ail pendant 2 min. dans l'huile chaude.

2 Ajoutez les tomates, portez à ébullition et laissez frémir 20 min. à découvert, en remuant de temps en temps pour éviter qu'elles ne collent. La sauce est prête lorsque l'huile apparaît sur le dessus.

3 Versez la crème, portez de nouveau à ébullition et laissez frémir, jusqu'à ce que la sauce épaississe légèrement. Incorporez les herbes et assaisonnez généreusement.

4 Faites cuire les pâtes *al dente*, dans une grande quantité d'eau bouillante salée, selon les instructions indiquées sur le paquet. Égouttez soigneusement et mélangez à la sauce. Servez très chaud, saupoudré d'herbes.

FESTIVAL

DE SAUCES

Raviolis aux quatre fromages

Cette sauce onctueuse, à base de fromage, accompagne à merveille les raviolis.

INGRÉDIENTS

Pour 4 personnes

350 g/12 oz de raviolis

50 g/¼ tasse de beurre

50 g/¼ tasse de farine

450 ml/1 ¾ tasse de lait

50 g/2 oz de parmesan

50 g/2 oz d'édam

50 g/2 oz de gruyère

50 g/2 oz de fontina

sel et poivre noir moulu

persil frais, haché, pour la décoration

1 Faites cuire les raviolis *al dente*, dans une grande quantité d'eau bouillante salée.

2 Faites fondre le beurre, ajoutez la farine et laissez chauffer 2 min., en remuant sans arrêt.

3 Versez progressivement le lait, en mélangeant intimement.

4 Portez doucement à ébullition, sans cesser de tourner, jusqu'à ce que la sauce épaississe.

5 Râpez les fromages et incorporez à la sauce. Remuez jusqu'à ce qu'ils commencent à fondre, puis assaisonnez hors du feu.

6 Égouttez les pâtes soigneusement avant de dresser dans un grand plat de service. Versez la sauce et remuez. Servez aussitôt, décoré de persil.

Spaghettis à la crème et aux lardons

Cette sauce légère s'enrichit de lardons et d'œufs.

INGRÉDIENTS

Pour 4 personnes

350 g/12 oz de spaghettis

1 c. à soupe d'huile d'olive

1 oignon, haché

115 g/4 oz de lardons ou de pancetta,
    en menus morceaux

1 gousse d'ail, hachée

3 œufs

300 ml/1 ¼ tasse de crème fraîche

sel et poivre noir moulu

50 g/2 oz de parmesan

basilic frais, haché, pour la décoration

1 Faites cuire les spaghettis *al dente*, dans une grande quantité d'eau bouillante salée.

2 Faites rissoler l'oignon et les lardons ou la pancetta pendant 10 min. dans l'huile chaude. Ajoutez l'ail et poursuivez la cuisson pendant 2 min., en remuant de temps en temps.

3 Pendant ce temps, battez les œufs dans un saladier, puis incorporez la crème. Râpez le parmesan et mélangez.

4 Ajoutez cette préparation à celle à l'oignon et laissez chauffer quelques minutes à feu doux, en remuant sans arrêt. Assaisonnez.

5 Égouttez les pâtes soigneusement avant de dresser dans un grand plat de service. Versez la sauce et remuez. Servez aussitôt, décoré de basilic frais.

Torsades à la crème et au fromage

La crème fraîche et les deux fromages composent une sauce savoureuse.

Pour 4 personnes

350 g/12 oz de torsades

2 c. à soupe de beurre

1 oignon, haché

1 gousse d'ail, hachée

1 c. à soupe d'origan frais, haché

300 ml/1 ¼ tasse de crème fraîche

75 g/¾ tasse de mozzarella, râpée

75 g/¾ tasse de bel paese, râpé

5 tomates séchées à l'huile, égouttées et émincées

sel et poivre noir moulu

1 Faites cuire les pâtes *al dente*, dans une grande quantité d'eau bouillante salée, selon les instructions indiquées sur le paquet.

2 Faites rissoler l'oignon pendant 10 min. dans le beurre fondu. Ajoutez l'ail et poursuivez la cuisson pendant 1 min.

3 Incorporez l'origan, la crème fraîche, et faites chauffer doucement, en portant presque à ébullition. Mélangez les deux fromages, que vous laissez fondre à feu doux en remuant de temps en temps. Ajoutez enfin les tomates, puis assaisonnez.

4 Égouttez les pâtes soigneusement avant de dresser sur un plat de service. Versez la sauce et remuez bien. Servez aussitôt.

Cannellonis au fromage et à la coriandre

Un plat rapide à préparer, à servir avec une simple salade de tomates au basilic.

Pour 4 personnes

450 g/1 lb de cannellonis

115 g/4 oz de fromage à l'ail et aux herbes

2 c. à soupe de coriandre fraîche, finement hachée

300 ml/1 ¼ tasse de crème fraîche

sel et poivre noir moulu

115 g/1 tasse de petits pois écossés, cuits

1 Faites cuire les pâtes *al dente*, dans une grande quantité d'eau bouillante salée, selon les instructions indiquées sur le paquet.

2 Faites fondre le fromage à feu doux dans une petite casserole.

3 Ajoutez la coriandre, la crème, le sel et le poivre. Portez doucement à ébullition, en remuant de temps en temps pour bien mélanger. Incorporez les petits pois et poursuivez la cuisson, jusqu'à ce qu'ils soient chauds.

4 Égouttez les pâtes, puis dressez sur un grand plat de service. Versez la sauce et remuez avant de servir.

ASTUCE

Si vous n'aimez pas la saveur relevée de la coriandre, vous pouvez la remplacer par une autre herbe fraîche, comme le persil ou le basilic.

Sauce tomate simple

La sauce tomate est l'accompagnement le plus courant des pâtes. Meilleure avec des tomates fraîches, cette sauce peut cependant se préparer avec des tomates en conserve.

INGRÉDIENTS

Pour 4 personnes

4 c. à soupe d'huile d'olive

1 oignon, très finement haché

1 gousse d'ail, finement hachée

450 g/1 lb de tomates concassées, fraîches
    ou en conserve, avec leur jus

sel et poivre noir moulu

quelques branches de persil ou de basilic

1 Faites revenir l'oignon pendant 5 à 8 min. à feu moyen dans l'huile chaude.

2 Ajoutez l'ail et les tomates avec leur jus (mouillez avec 3 c. à soupe d'eau si vous utilisez des tomates fraîches). Salez et poivrez. Incorporez les herbes et faites cuire 20 à 30 min.

3 Passez la sauce dans un moulin à légumes ou mixez dans un robot. Pour servir, réchauffez doucement, rectifiez l'assaisonnement et versez sur les pâtes égouttées.

Sauce tomate aux légumes

Cette sauce, dans laquelle les tomates sont complétées par d'autres légumes, se sert avec tous les types de pâtes.

INGRÉDIENTS

Pour 6 personnes

700 g/1 ⅔ lb de tomates fraîches
    ou en conserve, concassées

1 carotte, hachée

1 bâton de céleri, haché

1 oignon, haché

1 gousse d'ail, écrasée

5 c. à soupe d'huile d'olive

quelques feuilles de basilic frais
    ou 1 petite pincée d'origan séché

sel et poivre noir moulu

1 Mettez tous les ingrédients dans une casserole moyenne et laissez mijoter 30 min.

2 Réduisez la préparation en purée avec un mixer ou un robot, ou passez dans un tamis.

3 Mettez la sauce dans la casserole, rectifiez l'assaisonnement et laissez frémir 15 min. Versez sur les pâtes cuites et égouttées.

ASTUCE

Cette sauce peut être congelée. Laissez décongeler à température ambiante avant de réchauffer.

Fusilli au mascarpone et aux épinards

Mélangée à des pâtes légèrement cuites, cette sauce verte s'accompagne parfaitement de ciabatta (pain italien) aux tomates séchées.

INGRÉDIENTS

Pour 4 personnes

350 g/12 oz de fusilli

50 g/¼ tasse de beurre

1 oignon, haché

1 gousse d'ail, hachée

2 c. à soupe de feuilles de thym frais

225 g/8 oz de feuilles d'épinards surgelés, décongelés

sel et poivre noir moulu

225 g/1 tasse de mascarpone

branches de thym frais, pour la décoration

1 Faites cuire les pâtes *al dente*, dans une grande quantité d'eau bouillante salée.

2 Faites rissoler l'oignon pendant 10 min. dans le beurre fondu.

3 Ajoutez l'ail, le thym, les épinards, l'assaisonnement, et faites mijoter pendant 5 min., en remuant de temps en temps.

4 Incorporez le mascarpone, puis faites chauffer doucement, sans porter à ébullition.

5 Égouttez les pâtes soigneusement avant de mélanger à la sauce. Servez aussitôt, décoré de thym frais.

ASTUCE

Le mascarpone est un fromage frais italien, très riche. Vous pouvez le remplacer par tout autre fromage frais.

Spaghettis aux champignons

La subtile association des champignons et du basilic avec les spaghettis peut se compléter d'une simple salade de tomates.

INGRÉDIENTS

Pour 4 personnes

50 g/¼ tasse de beurre

1 oignon, haché

350 g/12 oz de spaghettis

350 g/12 oz de champignons mélangés

1 gousse d'ail, hachée

300 ml/1 ¼ tasse de crème fraîche

2 c. à soupe de basilic frais, haché

50 ml/½ tasse de parmesan, fraîchement râpé

sel et poivre noir moulu

persil plat, ciselé, pour la décoration

parmesan, fraîchement râpé, pour servir

1 Faites rissoler l'oignon pendant 10 min. dans le beurre fondu.

2 Faites cuire les spaghettis *al dente*, dans une grande quantité d'eau bouillante salée, selon les instructions indiquées sur le paquet.

5 Égouttez les pâtes soigneusement avant de mélanger à la sauce. Servez aussitôt, décoré de persil et accompagné de parmesan présenté séparément.

3 Mélangez les champignons et l'ail aux oignons, puis faites revenir pendant 10 min., jusqu'à ce qu'ils soient tendres.

4 Ajoutez la crème fraîche, le basilic, le parmesan râpé, le sel et le poivre. Couvrez et laissez chauffer.

Lasagnes fantaisie à la sauce tomate

Cette sauce, simple et savoureuse, se suffit à elle-même.

Pour 4 personnes

2 c. à soupe d'huile d'olive

1 oignon, haché

2 c. à soupe de concentré de tomates

1 c. à café de paprika

800 g/28 oz de tomates concassées en conserve,
    égouttées

1 pincée d'origan séché

300 ml/1 ¼ tasse de vin rouge sec

1 pincée de sucre en poudre

sel et poivre noir moulu

350 g/12 oz de lasagnes fantaisie

copeaux de parmesan, pour servir

persil frais, haché, pour la décoration

1 Faites rissoler l'oignon pendant 10 min. dans une poêle, en remuant de temps en temps. Ajoutez le concentré de tomates, le paprika, et poursuivez la cuisson pendant 3 min.

2 Incorporez les tomates, l'origan, le vin et le sucre. Assaisonnez, puis portez à ébullition.

3 Laissez frémir 20 min., en remuant de temps en temps, jusqu'à ce que la sauce réduise et épaississe.

4 Pendant ce temps, faites cuire les lasagnes *al dente*, dans une grande quantité d'eau bouillante salée, selon les instructions indiquées sur le paquet. Égouttez soigneusement avant de dresser dans un grand plat de service. Versez la sauce et remuez. Servez saupoudré de copeaux de parmesan et de persil haché.

ASTUCE

Si vous ne trouvez pas de lasagnes fantaisie, vous pouvez les remplacer par des lasagnes ordinaires que vous coupez en deux dans la longueur, en entaillant les bords.

Fusilli au pesto

Cette sauce légère et parfumée relève ce plat de sa délicate saveur.

Pour 4 personnes

350 g/12 oz de fusilli

50 g/2 oz de feuilles de basilic frais, sans les tiges

2 gousses d'ail, hachées

2 c. à soupe de pignons de pin

sel et poivre noir, fraîchement moulu

150 ml/⅔ tasse d'huile d'olive

50 g/⅓ tasse de parmesan, fraîchement râpé,
    plus quelques cuillerées pour la décoration

basilic frais, pour la décoration

ASTUCE

Le basilic frais est en vente sur les marchés et dans les supermarchés, en bouquet, en sachet ou en pot. Si vous achetez une plante en pot, ôtez les fleurs à mesure qu'elles apparaissent pour favoriser la croissance des feuilles.

Le pesto se conserve deux jours au réfrigérateur dans un bocal fermé hermétiquement. Si vous souhaitez prolonger le temps de conservation de quelques jours, recouvrez le dessus d'une mince couche d'huile d'olive.

Vous la verserez avec le pesto sur les pâtes chaudes.

---

1 Faites cuire les pâtes *al dente*, dans une grande quantité d'eau bouillante salée.

2 Pour préparer la sauce au pesto, mettez le basilic, l'ail, les pignons de pin, l'assaisonnement et l'huile d'olive dans un robot. Mixez jusqu'à obtention d'un mélange crémeux.

3 Versez la préparation dans un saladier et ajoutez le parmesan fraîchement râpé.

4 Égouttez les pâtes soigneusement avant de mettre dans un saladier. Versez la sauce et remuez. Répartissez la préparation sur des assiettes et servez, saupoudré de parmesan et décoré de basilic.

Torsades à la viande

Cette riche sauce à la viande se marie parfaitement avec tous les types de pâtes. Elle est encore plus savoureuse après être restée toute la nuit au réfrigérateur.

Pour 4 personnes

450 g/4 tasses de bœuf, haché

115 g/4 oz de lardons fumés, sans la couenne

1 oignon, haché

2 bâtons de céleri, hachés

1 c. à soupe de farine

150 ml/⅔ tasse de bouillon de poule ou d'eau

3 c. à soupe de concentré de tomates

1 gousse d'ail, hachée

3 c. à soupe d'herbes fraîches, mélangées
et hachées (origan, persil, marjolaine,
ciboulette), ou 1 c. à soupe d'herbes séchées,
mélangées

1 c. à soupe de gelée de groseille

sel et poivre noir moulu

350 g/12 oz de torsades

origan, haché, pour la décoration

1 Faites rissoler le bœuf et les lardons pendant 10 min. dans une grande casserole, en mélangeant, jusqu'à ce qu'ils soient dorés.

2 Ajoutez l'oignon et le céleri et faites revenir pendant 2 min., en remuant de temps en temps.

ASTUCE

La gelée de groseille, qui compense la saveur acidulée du concentré de tomates, peut être remplacée par un chutney.

3 Incorporez la farine, puis faites chauffer 2 min., en remuant.

4 Versez le bouillon ou l'eau et portez à ébullition.

5 Mélangez le concentré de tomates, l'ail, les herbes, la gelée de groseille et l'assaisonnement. Portez à ébullition, couvrez et laissez frémir 30 min.

6 Faites cuire les pâtes *al dente*, dans une grande quantité d'eau bouillante salée, selon les instructions indiquées sur le paquet. Égouttez soigneusement avant de dresser sur un grand plat de service. Versez la sauce et remuez. Servez les pâtes aussitôt, décorées d'origan frais.

Macaronis aux noisettes et à la coriandre

Inspirée du pesto, cette sauce est rehaussée par le parfum subtil de la coriandre.

INGRÉDIENTS

Pour 4 personnes

350 g/12 oz de macaronis

50 g/⅓ tasse de noisettes

2 gousses d'ail

1 bouquet de coriandre fraîche

1 c. à café de sel

6 c. à soupe d'huile d'olive

branches de coriandre fraîche, pour la décoration

1 Faites cuire les macaronis *al dente*, dans une grande quantité d'eau bouillante salée.

2 Pendant ce temps, hachez finement les noisettes.

ASTUCE
〜

Pour ôter la peau des noisettes, laissez-les 20 min. dans un four à 180 °C/350 °F/th. 4, puis frottez-les avec un torchon propre.

3 Pour préparer la sauce, mettez les noisettes et le reste des ingrédients, sauf 1 c. à soupe d'huile, dans un mixer, ou broyez avec un mortier et un pilon.

4 Faites chauffer le reste d'huile dans une casserole et versez la sauce. Réchauffez doucement pendant 1 min.

5 Égouttez les pâtes soigneusement avant de mélanger à la sauce. Remuez délicatement, puis servez aussitôt, décoré de coriandre fraîche.

Spaghettis aux lardons et à la tomate

Servis avec une sauce consistante, ces spaghettis peuvent constituer un plat unique, idéal pour l'hiver.

INGRÉDIENTS

Pour 4 personnes

1 c. à soupe d'huile d'olive

225 g/8 oz de lardons fumés, sans la couenne

250 g/9 oz de spaghettis

1 c. à café de piment moulu

1 portion de sauce tomate (voir Lasagnes
    fantaisie à la sauce tomate)

sel et poivre noir moulu

persil frais, grossièrement haché,
    pour la décoration

1 Faites rissoler les lardons pendant 10 min. dans l'huile chaude, en remuant de temps en temps, jusqu'à ce qu'ils soient dorés.

2 Faites cuire les pâtes *al dente*, dans une grande quantité d'eau bouillante salée, selon les instructions indiquées sur le paquet.

3 Mélangez le piment aux lardons et faites chauffer 2 min. Versez la sauce tomate, puis portez à ébullition. Laissez frémir 10 min., à couvert. Salez et poivrez.

4 Égouttez les pâtes soigneusement et mélangez à la sauce. Servez décoré de persil frais, grossièrement haché.

Tagliatelles au jambon et aux petits pois

Une sauce colorée, à servir avec du pain croustillant.

INGRÉDIENTS

Pour 4 personnes

350 g/12 oz de tagliatelles

225 g/1 ½ tasse de petits pois écossés

300 ml/1 ¼ tasse de crème fraîche

50 g/⅓ tasse de fromage (fontina),
    fraîchement râpé

75 g/3 oz de jambon de Parme, détaillé en lamelles

sel et poivre noir moulu

1 Faites cuire les tagliatelles *al dente*, dans une grande quantité d'eau bouillante salée.

2 Plongez les petits pois dans une casserole d'eau bouillante salée et faites cuire 7 min., jusqu'à ce qu'ils soient tendres. Égouttez et réservez.

3 Mettez la crème et la moitié du fromage dans une petite casserole et faites chauffer doucement, en remuant sans arrêt.

4 Égouttez les pâtes soigneusement avant de mettre dans un grand saladier. Mélangez le jambon, les petits pois, et versez la sauce. Ajoutez le reste de fromage, salez et poivrez.

Index

A

agneau
  gratin grec 134
  spaghettis aux boulettes de viande 217
ail 10
artichauts, salade de pâtes aux 112
asperges
  salade chaude aux pâtes, au jambon
    et aux œufs 119
  salade de pâtes, d'asperges
    et de pommes de terre 116
  tagliatelles au jambon de Parme
    et aux asperges 96
  tagliatelles aux petits pois,
    aux asperges et aux haricots 196
  tagliolini aux asperges 80
aubergine
  lasagnes aux aubergines 132
  pâtes à la caponata 155
  pâtes aux légumes grillés 105, 229
  penne à l'aubergine
    et au pesto de menthe 226
  spaghettis à l'aubergine et à la tomate 222
avocat
  nouilles aux légumes et aux crevettes 61
  pâtes grecques à l'avocat 188
  salade à l'avocat, à la tomate
    et à la mozzarella 120
  tagliatelles au haddock et à l'avocat 49

B

beurres 10
bœuf
  bœuf épicé 81
  boulettes aux trois viandes 78
  cannellonis à la viande 142
  émincé de bœuf à l'orange
    et au gingembre 75
  pâtes à la bolognaise et au fromage 144
  pâtes à la viande et au fromage 223
  timbales de pâtes 149
  torsades à la viande 250
  voir aussi sauce bolognaise
boulettes de viande
  boulettes aux trois viandes 78
  spaghettis aux boulettes de viande 217
brocolis
  cannellonis aux brocolis et à la ricotta 156
  orecchiette aux brocolis 170
  penne aux brocolis et au piment 216

C

calmars
  spaghettis aux fruits de mer 47
campanelle 9
  au poivron jaune 180
cannellonis 158
  à la truite fumée 50
  à la viande 142
  al forno 98
  au fromage et à la coriandre 242
  aux brocolis et à la ricotta 156
capellini à la roquette et aux mange-tout 87
caponata, pâtes à la 155
cappelletti 8
câpres 10
caramellone 8
champignons

beurre de champignons 10
lasagnes aux légumes 206
macaronis au fromage
  et aux champignons 228
nouilles à l'orientale 92
nouilles aux champignons 140
pappardelle aux haricots
  et aux champignons 169
pâtes carbonara au piment
  et aux champignons 176
spaghettis aux champignons 247
spaghettis aux olives
  et aux champignons 181
torsades aux champignons et au chorizo 194
chorizo
  fusilli au pepperoni et à la tomate 83

penne à la saucisse et au parmesan 101
spaghettis bolognaise épicés 79
torsades aux champignons
  et au chorizo 194
chou-fleur
  pâtes au chou-fleur 102
  velouté au parmesan et au chou-fleur 31
chow mein 227
citrouille 154
  raviolis à la coriandre farcis
    de citrouille 232
  tortelli à la citrouille 204
conchiglie 9
  aux épinards et à la ricotta 106
  aux fruits de mer et aux épinards 44
  aux tomates et à la roquette 189
  salade de pâtes et de betterave 118
conchigliette rigate 9
courges farcies 99
courgette
  pâtes à la caponata 155
  pâtes aux courgettes et aux noix 215
  pâtes aux légumes grillés 105, 229
  soupe aux courgettes et aux pâtes 33
crabe
  conchiglie aux fruits de mer
    et aux épinards 44
  consommé aux agnolotti 27

crevettes
  conchiglie aux fruits de mer
    et aux épinards 44
  farfalle aux crevettes et aux petits pois 84
  fusilli aux légumes et aux crevettes 54
  macaronis aux gambas et au jambon 224
  nouilles aux crevettes et au citron 43
  nouilles frites de Singapour 60
  papillotes de tagliatelles aux crevettes 231
  pâtes aux crevettes et à la feta 62
  pâtes estivales 65
  salade de pâtes, de melon et de crevettes 128
  spaghettis aux fruits de mer 47, 52, 68

D

demi-lunes farcies 205

dinde
  fusilli à la dinde 139
  pastitsio de dinde 138

E

émincé de bœuf à l'orange
  et au gingembre 75
épinards
  conchiglie aux épinards et à la ricotta 106
  fusilli au mascarpone et aux épinards 246
  garniture aux épinards, à la ricotta
    et au parmesan 19
  lasagnes aux épinards 9
  lasagnes aux épinards
    et aux noisettes 235
  nouilles aux légumes et aux crevettes 61
  pâtes aux épinards 16, 18
  pâtes aux épinards et aux anchois 48
  raviolis à la ricotta et aux épinards 208
  rotolo di pasta 148
  tagliatelles aux épinards
    et au fromage 183
équipement 12-13

F

farfalle (papillons) 9
  aux crevettes et aux petits pois 84
  papillons au fenouil et aux noix 104

papillons au saumon fumé et à l'aneth 46
pâtes aux légumes de printemps 84
fettucia riccia 9
fettuccine
  all'Alfredo 190
  au jambon et à la crème 76
  pâtes à la sauce bolognaise 151
  pâtes aux pétoncles et aux tomates 51
fromage
  cannellonis au fromage
    et à la coriandre 242
  cannellonis aux brocolis
    et à la ricotta 156
  conchiglie aux épinards
    et à la ricotta 106
  demi-lunes farcies 205
  fusilli au mascarpone et aux épinards 246
  fusilli aux lentilles et au fromage 159
  lasagnes aux poireaux et au fromage
    de chèvre 164
  macaronis au bleu 165
  macaronis au fromage 209
  macaronis au fromage
    et aux champignons 228
  pâtes à la bolognaise et au fromage 144
  pâtes à la viande et au fromage 223
  pâtes aux crevettes et à la feta 62
  raviolis à la ricotta et aux épinards 208
  raviolis au fromage et aux herbes 214
  raviolis aux quatre fromages 240
  salade de pâtes aux noix
    et au roquefort 117
  soufflé de macaronis 133
  spaghettis à la feta 201
  tagliatelles au gorgonzola 236
  torsades à la crème et au fromage 242
  tortellinis à la crème, au beurre
    et au fromage 187
  tortellinis sauce au fromage 220
  tortellinis aux trois fromages 157
  velouté au parmesan et au chou-fleur 31
fruits de mer
  voir crevettes, moules, noix de saint-
    jacques, palourdes, pétoncles
fusilli
  à la dinde 139
  au mascarpone et aux épinards 246
  au pepperoni et à la tomate 83
  au pesto 249
  au poulet et à la tomate 160
  aux légumes et aux crevettes 54
  aux lentilles et au fromage 159
  aux noix et à la crème 97
  aux poivrons et aux oignons 212
  pâtes au pesto allégé 234
  pâtes aux courgettes et aux noix 215
  pâtes aux légumes de printemps 84
  pâtes estivales 65

G

garganelle 9, 18
  pâtes au thon, aux câpres
    et aux anchois 42
  pâtes aux crevettes et à la feta 62
gratin
  de pâtes 90, 136
  grec 134

H

haddock
  tagliatelles au haddock et à l'avocat 49
haricots

pappardelle aux haricots
et aux champignons 169
pâtes aux haricots beurre et au pesto 125
soupe aux haricots et aux pâtes 32
soupe aux pâtes, aux haricots
et aux légumes 22
tagliatelles aux petits pois,
aux asperges et aux haricots 196
voir aussi minestrone

J
jambon (*voir aussi* prosciutto)
macaronis aux gambas et au jambon 224
pâtes à la sauce carbonara 136
penne au poulet et au jambon 195
salade chaude aux pâtes, au jambon
et aux œufs 119
soupe au jambon et aux petits pois 26
tagliatelles au jambon de Parme
et aux asperges 96
tagliatelles au jambon et aux petits pois 252

L
lard
pâtes à la sauce carbonara 136
pâtes à la tomate et aux lardons 147
spaghettis à la crème et aux lardons 241
spaghettis alla carbonara 150
spaghettis aux œufs et aux lardons 171
spaghettis aux lardons et à la tomate 252
spaghettis aux lardons et à l'oignon 102
lasagnes
à la viande 162
al forno 161
au poulet 141
au thon 55
aux aubergines 132
aux épinards et aux noisettes 235
aux légumes 206
aux poireaux et au fromage de chèvre 164
fantaisie à la sauce tomate 248
légumes (*voir aussi aux noms de légumes*)
fusilli aux légumes et aux crevettes 54
gratin de pâtes 90
minestrone *voir* minestrone
pâtes à la caponata 155
pâtes aux légumes de printemps 84, 182
pâtes aux légumes frits 93
pâtes aux légumes grillés 105, 229
pâtes estivales 65
penne aux pois chiches et à la tomate 218
salade de nouilles aux cacahuètes 122
soupe chinoise aux légumes
et aux nouilles 29
soupe de pâtes consistante 23
voir aussi salades
lentilles
fusilli aux lentilles et au fromage 159
sauce bolognaise aux lentilles 94
linguine
au pesto 168
au poivron et à la crème 192
aux palourdes, aux poireaux
et à la tomate 224
aux palourdes et à la tomate 71
pâtes aux pétoncles et aux tomates 51

M
macaronis 8, 18
au bleu 165
au fromage 209
au fromage et aux champignons 228

aux gambas et au jambon 224
aux noisettes et à la coriandre 251
gratin de pâtes 136
pastitsio de dinde 138
soufflé de macaronis 133
timbales de pâtes 149
minestrone 34
aux croûtons de pesto 124
traditionnel 25
moules
spaghettis aux fruits de mer 47, 52
spaghettis aux moules 66
spaghettis aux moules
et au safran 230
tagliatelles aux moules
et au safran 39

N
noisettes
lasagnes aux épinards
et aux noisettes 235
macaronis aux noisettes
et à la coriandre 251
tagliatelles au pesto de noisettes 198
noix
fusilli aux noix et à la crème 97
papillons au fenouil et aux noix 104
pâtes aux courgettes et aux noix 215
salade de pâtes aux noix
et au roquefort 117
tagliatelles aux noix 211
noix de saint-jacques
pâtes noires aux noix de saint-jacques 59
rigatoni aux noix de saint-jacques 197
nouilles
à l'orientale 92
aux champignons 140
aux crevettes et au citron 43
aux légumes et aux crevettes 61
bœuf épicé 81
boulettes aux trois viandes 78
chow mein 227
émincé de bœuf à l'orange
et au gingembre 75
frites à la thaïlandaise 145

frites de Singapour 60
poulet sauce aigre-douce 8
salade de nouilles aux cacahuètes 122
soupe de poulet thaïlandaise 30

O
œufs
spaghettis à la crème et aux lardons 241
spaghettis alla carbonara 150
spaghettis aux œufs et aux lardons 171
olives
beurre d'olives 10
pâtes au thon et aux olives 56
salade de pâtes aux olives 111
spaghettis aux olives
et aux câpres 70

spaghettis aux olives
et aux champignons 181
orecchiette 9
aux brocolis 170
orzo 8

P
paglia e fieno 174
palourdes
linguine aux palourdes et à la tomate 71
linguine aux palourdes, aux poireaux
et à la tomate 224
spaghettis aux fruits de mer 68
spaghettis aux palourdes 41
spaghettis aux tomates et aux palourdes 40
papillons
au fenouil et aux noix 104
au saumon fumé et à l'aneth 46
papillotes de tagliatelles aux crevettes 231
pappardelle 9, 15, 18
au safran 58
aux haricots et aux champignons 169
pâtes aux légumes grillés 105
passata 10
pastitsio
gratin grec 134
pastitsio de dinde 138
pâtes 8-9, 11, 14-17

à la bolognaise et au fromage 144
à la caponata 155
à la sauce bolognaise 151
à la sauce carbonara 136
à la tomate et à la crème 237
à la tomate et aux lardons 147
à la viande et au fromage 223
au chou-fleur 102
au pesto 200
au pesto allégé 234
au poivron et à la tomate 210
au saumon et au persil 38
au thon, aux câpres et aux anchois 42
au thon et aux olives 56
aux courgettes et aux noix 215
aux crevettes et à la feta 62
aux épinards et aux anchois 48
aux fruits de mer et aux épinards 44
aux haricots beurre et au pesto 125
aux légumes de printemps 84, 182
aux légumes frits 93
aux légumes grillés 105, 229
aux pétoncles et aux tomates 51
aux rognons 90
aux sardines fraîches 69
carbonara au piment et aux champignons 176
estivales 65
express à la sauce persillée 89
gratin grec p134
grecques à l'avocat 188
noires aux noix de saint-jacques 59
voir aussi conchiglie, farfalle, fettuccine,
fusilli, garganelle, linguine,
macaronis, pappardelle, penne,
raviolis, rigatoni, spaghettis,
tagliatelles, torsades
pâtes aux œufs 14
confection à la main 14-15
confection à la machine 16
cuisson 17
vertes 17
pâtes complètes
salade de pâtes, d'asperges et de pommes
de terre 116
salade de pâtes complètes 110
penne
à la saucisse et au parmesan 101
à l'aubergine et au pesto de menthe 226
au poulet et au jambon 195
au thon, aux câpres et aux anchois 42
aux brocolis et au piment 216
aux courgettes et aux noix 215
aux crevettes et à la feta 62
aux légumes de printemps 84, 182
aux légumes grillés 229
aux pois chiches et à la tomate 218
voir aussi orecchiette aux brocolis
pesto 10
fusilli au pesto 249
minestrone aux croûtons de pesto 124
pâtes au pesto 200
pâtes aux haricots beurre et au pesto 125
de menthe 226
allégé 234
au persil 89
de noisettes 198
petits pois
paglia e fieno 174
soupe au jambon et aux petits pois 26
tagliatelles au jambon et aux petits pois 252
tagliatelles aux petits pois, aux asperges
et aux haricots 196

pétoncles
  pâtes aux pétoncles et aux tomates 51
piment
  pâtes carbonara au piment
    et aux champignons 176
  penne aux brocolis et au piment 216
pipe rigate 9
poireaux
  lasagnes aux poireaux et au fromage
    de chèvre 164
  voir aussi pâtes carbonara au piment
    et aux champignons 176
poisson
  cannellonis à la truite fumée 50
  lasagnes au thon 55
  papillons au saumon fumé et à l'aneth 46
  pappardelle au safran 58
  pâtes au saumon et au persil 38
  pâtes au thon, aux câpres
    et aux anchois 42
  pâtes au thon et aux olives 56
  pâtes aux sardines fraîches 69
  salade de pâtes à la truite fumée 113
  salade de pâtes au thon 114
  salade méditerranéenne au basilic 126
  soupe de poisson aux pâtes 35
  spaghettis au poisson sauce aigre-douce 57
  spaghettis au thon 198
  tagliatelles au haddock et à l'avocat 49
  tagliatelles au saumon fumé 64, 76
poivrons
  fusilli aux poivrons et aux oignons 212
  linguine au poivron et à la crème 192
  pâtes au poivron et à la tomate 210
porc
  boulettes aux trois viandes 78
  chow mein 227
  nouilles frites à la thaïlandaise 145
poulet
  cannellonis al forno 98
  fusilli au poulet et à la tomate 160
  lasagnes au poulet 141
  nouilles frites à la thaïlandaise 145
  penne au poulet et au jambon 195
  poulet sauce aigre-douce 82
  salade de pâtes au poulet 114
  salade de pâtes et de poulet 129
  soupe de poulet thaïlandaise 24
  soupe de vermicelle au poulet et aux œufs 30
  tagliatelles au poulet et aux herbes 100
prosciutto
  fettuccine au jambon et à la crème 76
  tagliatelles au prosciutto et au parmesan 86
puntalette 8

R
raviolis
  à la coriandre farcis de citrouille 232
  à la ricotta et aux épinards 208
  au fromage et aux herbes 214
  aux quatre fromages 240
  maison 152
rigatoni 9
  pâtes à la viande et au fromage 223
  pâtes au thon, aux câpres et aux anchois 42
  pâtes aux crevettes et à la feta 62
  pâtes aux légumes grillés 229
  rigatoni à l'ail 172
  rigatoni à la saucisse épicée 146
  rigatoni aux noix de saint-jacques 197
rognons
  pâtes aux rognons 90

rotolo di pasta 148
rouleaux de lasagnes 94

S
salade
  à l'avocat, à la tomate et à la mozzarella 120
  chaude aux pâtes, au jambon
    et aux œufs 119
  de nouilles aux cacahuètes 122
  de pâtes à la truite fumée 113
  de pâtes au poulet 114
  de pâtes au thon 114
  de pâtes aux artichauts 112
  de pâtes aux noix et au roquefort 117
  de pâtes aux olives 111
  de pâtes complètes 110

  de pâtes, d'asperges
    et de pommes de terre 116
  de pâtes, de melon et de crevettes 128
  de pâtes et de betterave 118
  de pâtes et de poulet 129
  de pâtes tiède 218
  méditerranéenne au basilic 126
sardines
  pâtes aux sardines fraîches 69
sauce bolognaise 135
  pâtes à la bolognaise et au fromage 144
  pâtes à la sauce bolognaise 151
  sauce bolognaise aux lentilles 94
  spaghettis bolognaise épicés 79
sauce carbonara
  pâtes à la sauce carbonara 136
  pâtes carbonara au piment
    et aux champignons 176
  paghettis à la crème et aux lardons 241
  spaghettis alla carbonara 150
sauce napolitaine 175
sauce tomate
  aux légumes 244
  simple 244
saucisse (voir aussi chorizo)
  rigatoni à la saucisse épicée 146
saumon
  papillons au saumon fumé et à l'aneth 46

  pâtes au saumon et au persil 38
  tagliatelles au saumon fumé 64, 76
soufflé de macaronis 133
soupe
  à l'oignon et à la betterave 28
  au jambon et aux petits pois 26
  aux courgettes et aux pâtes 33
  aux haricots et aux pâtes 32
  aux pâtes, aux haricots
    et aux légumes 22
  chinoise aux légumes et aux nouilles 29
  consommé aux agnolotti 27
  de pâtes consistante 23
  de poisson aux pâtes 35
  de poulet thaïlandaise 24
  de vermicelle au poulet et aux œufs 30

minestrone 34
  traditionnel 25
velouté au parmesan et au chou-fleur 31
spaghettis
  à la feta 201
  à l'ail et à l'huile 178
  à la crème et aux lardons 241
  à la sauce tomate 186, 220
  à l'aubergine et à la tomate 222
  alla carbonara 150
  au poisson sauce aigre-douce 57
  au poulet sauce piquante 193
  au thon 198
  aux boulettes de viande 217
  aux champignons 247
  aux fruits de mer 47, 52, 68, 123
  aux herbes 74
  aux lardons et à la tomate 252
  aux lardons et à l'oignon 102
  aux moules 66
  aux moules et au safran 230
  aux noix et à la crème 97
  aux œufs et aux lardons 171
  aux olives et aux câpres 70
  aux olives et aux champignons 181
  aux palourdes 41
  aux tomates et aux palourdes 40
  bolognaise épicés 79

  olio e aglio 184

T
tagliarini
  nouilles à l'orientale 92
tagliatelles 8, 9, 15, 18
  à la caponata 155
  à la sauce bolognaise 151
  au gorgonzola 236
  au haddock et à l'avocat 49
  au jambon de Parme et aux asperges 96
  au jambon et aux petits pois 252
  au pesto de noisettes 198
  au poulet et aux herbes 100
  au prosciutto et au parmesan 86
  au saumon fumé 64, 76
  aux épinards et au fromage 183
  aux moules et au safran 39
  aux noix 211
  aux petits pois, aux asperges
    et aux haricots 196
  aux tomates séchées 88
  paglia e fieno 174
  papillotes de tagliatelles aux crevettes 231
  pâtes à la caponata 155
  pâtes à la sauce carbonara 136
  sauce rapide 177
tagliolini 15
  tagliolini aux asperges 80
thon
  lasagnes au thon 55
  pappardelle au safran 58
  salade de pâtes au thon 114
  salade méditerranéenne au basilic 126
  spaghettis au thon 198
  pâtes au thon, aux câpres et aux anchois 42
  pâtes au thon et aux olives 56
timbales de pâtes 149
tomates 10
  concentré de tomates 10, 159
  conchiglie aux tomates et à la roquette 189
  salade à l'avocat, à la tomate
    et à la mozzarella 120
  lasagnes aux légumes 206
  lasagnes fantaisie à la sauce tomate 248
  linguine aux palourdes et à la tomate 71
  nouilles aux champignons 140
  pâtes à la tomate et à la crème 237
  pâtes à la tomate et aux lardons 147
  sauce napolitaine 175
  sauce tomate aux légumes 244
  sauce tomate simple 244
  spaghettis à la sauce tomate 186, 220
  spaghettis aux tomates et aux palourdes 40
  tagliatelles aux tomates séchées 88
torsades
  à la crème et au fromage 242
  à la viande 250
  aux champignons et au chorizo 194
tortelli à la citrouille 204
tortellinis
  à la crème, au beurre et au fromage 187
  aux trois fromages 157
  sauce au fromage 220
truite fumée
  cannellonis à la truite fumée 50
  salade de pâtes à la truite fumée 113

V
vermicelle 8, 11
  soupe de vermicelle au poulet
    et aux œufs 30